BOURGOGNE
ROMANE

Jean Baudry
Georges Barbier
Dom Bénigne Defarges osb
Abbé André Gaudillière
Abbé Denis Grivot
Dom Claude Jean-Nesmy osb
Dom Angelico Surchamp osb

BOURGOGNE

Traduction allemande de Dom Albert Delfosse osb

Traduction anglaise de Paul Veyriras

ROMANE

4e édition

MCMLXII ☩
ZODIAQUE
la nuit des temps

PRÉFACE

Mon Père,

En réunissant les photographies d'Autun, Saulieu, Paray, Tournus et Vézelay en un seul ouvrage, c'est bien la raison d'être d'une certaine Bourgogne que vous rendez sensible à l'esprit et au regard.

Leurs rapports, s'ils échappent à la meilleure mémoire, à l'attention la plus alertée, vous les renouez et les faites apparaître : il suffit de juxtaposer les cinq images de ces cinq façades et de ces cinq nefs pour prendre la mesure d'une joie et d'une paix qui comblent l'âme la plus étrangère par une possibilité de recueillement.

Leur unité se dégage de la profondeur des images noires entre lesquelles éclatent par la couleur certains de ces paysages sacrés.

Unité qui prend racine dans la terre même. Fondations sur lesquelles s'élèvent murs et colonnes, se posent arcs et voûtes, s'ouvrent au soleil portes et verrières, se dressent les tours sans égales par leur solidité et leur élévation.

6

C'est vraiment l'œuvre maçonnée dont Raban Maur parlait, le Tout que forme un Christ qui règne au-dessus de la muraille faite de saints, l'*opus sanctorum* composé des pierres inégales de nos êtres et de nos jours.

Que la vieille Europe demeure à demi couverte par une robe déchirée d'églises, sans doute. Il en est peu qui atteignent à la force, à la perfection de celles que nous retrouvons ici.

Paray et Tournus représentent peut-être les deux masses essentielles que la Bourgogne porte sur sa plaque tournante, ses deux vraies forteresses de Dieu, s'ouvrant en asile à la contemplation et non aux armes, fléchées par la libre lumière comme le corps du saint fut traversé par les instruments ailés de son martyre. Où trouver deux monuments comparables par la puissance et qui soient aussi redoutables dans leur perfection? Leur présence s'impose soudainement, comme seules le peuvent faire des créatures de l'ordre divin.

Autour d'elles les petites églises des montagnes de la Saône, par leur essentielle **7** pauvreté, la nécessité de leurs formes, leur fonction plastique et spirituelle, ne sont-elles pas, en groupes, des sœurs éloignées des petites églises qui, de chaque côté des Pyrénées, témoignent de la genèse de notre civilisation ?

L'orchestration du thème antique, Cluny disparu l'incarnait, Autun différemment, tandis que Vézelay, presque fabuleuse, nous transmettait d'autres mirages.

C'est à une telle diversité, à la richesse de ces certitudes de vie que nous devons nous arrêter aujourd'hui, si nous désirons remonter à nos origines, plus encore si nous voulons être en mesure d'édifier un avenir.

Afin d'y aider, un lieu d'études et de recueillement s'imposait. La survivance de l'abbaye Saint-Philibert à Tournus, au milieu des témoins d'une haute époque, rendait évident le besoin de la constitution d'un centre de documentation tel que l'Institut International d'Art Roman qui s'y installera progressivement.

Organiser les recherches nationales et locales, en ordonner les résultats, les mettre à la disposition de tous, voilà notre premier but. L'apport nécessaire de la science à l'éclaircissement du passé, nous aimerions le voir doublé ici par l'expérience des hommes de métier, élargi et enrichi par les œuvres des vrais créateurs.

C'est pourquoi il n'est pas de meilleur prétexte au travail, plus sûr instrument spirituel de précision, ni plus profond encouragement à la méditation sur la nature et les actes de l'homme que tout lieu bâti de pierres, comme les cinq églises dont vous nous donnez enfin l'image.

jean baudry

président du conseil d'administration du
CENTRE INTERNATIONAL D'ÉTUDES ROMANES

P R É S E N T A T I O N

La Bourgogne est l'une des régions de France les plus connues, trop bien située, d'ailleurs, pour que l'on puisse vraiment l'ignorer : elle relie Paris au Sud-Est de la France. La route de la Côte d'Azur la traverse, comme celles de la Suisse et de l'Italie. Par elle, on gagne la montagne et la mer. On ne peut donc manquer de s'aventurer en cette région fort pittoresque par nature, et, il faut bien le dire, ses vins renommés — qui s'étagent de Dijon à Chagny pour reprendre aux environs de Mâcon, sans oublier les crus du Nord, ceux de Chablis — non moins qu'une réputation gastronomique séculaire — laquelle est loin d'être vaine — donnent à son seul nom de « Bourgogne » un indéniable attrait.

Et là, sur la grand'route (la fameuse Nationale 6), des sanctuaires romans, parmi les plus beaux du monde sans doute, jalonnent l'itinéraire. Auxerre, Vermenton, Avallon, Saulieu, La Rochepot, Tournus, pour ne parler que des plus grands. Et si l'on veut faire un léger détour — et gagner son temps en accroissant son plaisir — Vézelay, Autun, Paray-le-Monial, Cluny, sont à portée des plus modestes voitures. Sans oublier Pontigny, Fontenay, Montréal, Saint-Bénigne de Dijon, Notre-Dame de Beaune, Chapaize, Brancion, Berzé-la-Ville... et tant d'autres, d'Auxerre à Charlieu. Une halte à Farges ou Escolives n'est point de celles que l'on oublie.

Dans ce volume, nous avons fait un tri, nécessairement. Car, vouloir parler de tout, c'est, de toute évidence, se condamner à ne rien dire. La moisson est trop vaste pour que l'on puisse prétendre la saisir tout entière en quelques gerbes. Mieux vaut sans doute s'arrêter à quelques monuments types : les plus importants, les plus beaux, et, dans ceux-là mêmes, envisager les aspects les plus originaux, les plus riches d'enseignements.

Bien entendu un tel choix ne saurait prétendre imposer un itinéraire, et surtout moins encore reléguer au second plan d'autres sanctuaires, qui, pour n'être pas retenus dans cette étude, méritent pourtant une visite, sinon deux. Mais enfin l'on comprendra aisément les mobiles de notre choix en parcourant ce volume.

Avec Tournus et Paray, nous avons pensé retenir deux magistraux ensembles d'architecture. Avec Saulieu et Autun, deux prodigieux ensembles de chapiteaux sculptés. Avec le même Autun et Vézelay, deux prestigieux tympans, comme l'on aurait peine à en trouver de comparables de par le monde.

Partant sur cette idée de choix, nous avons dû être injustes, parce que forcés à tout instant de

9

limiter notre angle de vision — et par là-même son champ d'exercice. A Vézelay, par exemple, nous avons dû parcourir hâtivement les richesses multiples de cet ensemble. Nous préférions mettre en valeur les chapiteaux de Saulieu, trop méconnus, et, à notre sens, supérieurs encore à ceux de Vézelay. A Autun, notre insistance sur les chapiteaux — si dépendants de ceux de Saint-Andoche à Saulieu — a nécessité un coup d'œil rapide, trop rapide, sur le tympan. Mais le volume le monde d'Autun, de notre collection « les points cardinaux », vient corriger cette lacune. A Tournus, nous avons insisté sur les parties les plus anciennes — les plus belles aussi, à vrai dire. Tout cela, pensons-nous, le lecteur nous le pardonnera aisément. Nous ne nous y sommes risqués, qu'après avoir, pendant dix ans, étudié cette question. Et notre choix nous a paru légitime, dès lors que l'on voulait, en relativement peu de pages — et c'était notre cas — étudier d'une façon quelque peu sérieuse, même profonde, ces lumières fameuses que demeurent, dans « la nuit des temps », les plus beaux édifices romans de Bourgogne.

Des cartes, toutefois, permettront au lecteur de dépasser le point de vue de l'ouvrage et de le confronter avec le sien propre, s'il veut bien s'aventurer jusqu'aux sanctuaires, vastes ou minuscules, que nous avons indiqués sur ces différents plans, aux environs plus ou moins immédiats des édifices analysés.

Aux pages 13 à 16, il trouvera un ensemble de cartes locales, précises et fouillées : régions de Tournus d'abord (p. 13) et de Paray-le-Monial (p. 14). Régions de Saulieu-Autun ensuite (p. 15) et de Vézelay-Auxerre (p. 16). Ces cartes en main, il pourra parcourir sans peine le champ de la Bourgogne romane, jusqu'à l'épuiser, pour ainsi dire, totalement.

Nous avons cherché, en effet, à faire de ces cartes des documents aussi complets que possible. Et si, pour les régions de Paray et de Tournus, mieux étudiées et du reste plus groupées et plus riches, nous sommes à peu près sûrs d'avoir omis fort peu d'églises de réel intérêt, pour les régions d'Autun, Saulieu, Vézelay et Auxerre, par contre, nous ne prétendons bien avoir fait que défricher une zone encore mal connue. Le seul fait de s'y être risqué, nous en sommes certains, entraînera bien, un jour ou l'autre, des recherches méthodiques et définitives en ce sens. Nous serons reconnaissants,

pour notre part, envers tous ceux qui pourront corriger ou compléter ces premières tentatives.

Les textes sont le résultat de mises au point laborieuses et nous paraissent de nature à répondre aux désirs du plus grand nombre. Non seulement nous avons touché — effleuré à vrai dire — les aspects touristiques et historiques des édifices étudiés, mais encore nous avons tenu à en indiquer les principales dimensions, à en donner les plans et, de coutume, à en préciser les particularités archéologiques comme aussi — et surtout — l'esprit profond, les leçons spirituelles des œuvres (lesquelles, ne l'oublions pas, sont romanes, ce qui les entraîne aussitôt à signifier beaucoup plus qu'apparemment elles ne disent, ainsi que le rappelle le chapitre suivant intitulé « Signification de l'Art Roman »).

Toute règle comporte, néanmoins, des exceptions. On ne s'étonnera point d'en rencontrer ici. L'Abbé Grivot vient restituer en quelques pages savoureuses, l'esprit caustique, et sain, de la Bourgogne. Son Inventaire d'Autun, désinvolte à souhait, doit nous rappeler que les œuvres étudiées ne sont pas des cadavres, à coup sûr pas des fossiles. Œuvres vivantes, elles éclatent de joie et de bonne humeur. Nul, mieux que l'Abbé Grivot, bourguignon cent pour cent, ne pouvait nous le faire saisir à ce point.

Il y a enfin, sinon surtout, en ce volume, une dernière part qui ne déplaira à personne. Nous voulons parler des illustrations. Ici nous avons fait montre d'une extrême sévérité. Nous avons beaucoup exigé des photographes : le lecteur s'en rendra compte. Dans des édifices souvent mal accessibles, ils ont su, par leur patience, parvenir à d'étonnants résultats. Toutes les photos ont été prises d'après nos indications et sur les œuvres mêmes — non sur leurs moulages. Elles parviennent, ce faisant, à restituer l'image d'un univers merveilleux, où le lecteur, sans nul doute, aura plaisir à s'attarder et revenir.

Un tel volume ne saurait être complet. Il est tout au plus une introduction, une invitation à voir. Loin d'épargner le voyage, il le suscite plutôt, et, toutefois, demeure bien l'un des meilleurs souvenirs que l'on puisse garder — pour y revenir à temps perdu — de visites proches ou lointaines au cours desquelles, d'enchantements en enchantements, l'on commençait peu à peu à découvrir le monde fervent, calme et recueilli, de la Bourgogne chrétienne, de la Bourgogne romane.

TABLE

Introduction

Tournus

Paray-le-Monial

Saulieu

Autun

Vézelay

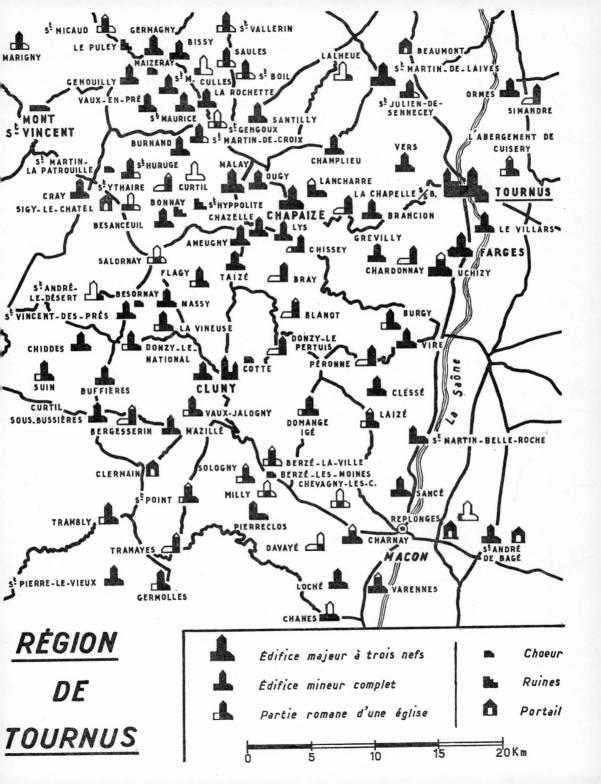

ST MICAUD • ▪ GERMAGNY • ST VALLERIN• MARIGNY ▪ LE PULEY ▪ BISSY • SAULES ▪ LALHEUE ▪ BEAUMONT MAIZERAY ▪ ST MARTIN-DE-LAIVES ▪ GENOUILLY • ST M. CULLES • ST BOIL ▪ LA ROCHETTE ▪ ST JULIEN-DE-SENNECEY ▪ ORMES VAUX-EN-PRÉ ▪ SANTILLY ▪ SIMANDRE ST MAURICE ▪ ST GENGOUX MONT ST VINCENT • ST MARTIN-DE-CROIX ▪ L'ABERGEMENT DE CUISERY BURNAND ▪ CHAMPLIEU ▪ VERS ▪ ST MARTIN-LA-PATROUILLE ▪ ST HURUGE • MALAY ▪ OUGY ▪ LANCHARRE ▪ TOURNUS ST YTHAIRE ▪ CURTIL • LA CHAPELLE ST S.B. CRAY ▪ BONNAY ▪ ST HYPPOLITE • CHAPAIZE ▪ BRANCION ▪ LE VILLARS SIGY-LE-CHATEL ▪ CHAZELLE ▪ LYS ▪ BESANCEUIL ▪ GREVILLY ▪ FARGES AMEUGNY ▪ CHISSEY ▪ CHARDONNAY ▪ UCHIZY SALORNAY ▪ FLAGY ▪ TAIZÉ ▪ BRAY ST ANDRÉ-LE-DÉSERT • BESORNAY ▪ MASSY ▪ BLANOT ▪ BURGY ST VINCENT-DES-PRÉS ▪ LA VINEUSE ▪ DONZY-LE-PERTUIS ▪ VIRE CHIDDES ▪ DONZY-LE-NATIONAL ▪ COTTE ▪ PÉRONNE SUIN ▪ BUFFIÈRES ▪ CLUNY • CLESSÉ ▪ CURTIL SOUS-BUSSIÈRES ▪ VAUX-JALOGNY ▪ LAIZÉ ▪ BERGESSERIN ▪ MAZILLÉ ▪ DOMANGE IGÉ ▪ ST MARTIN-BELLE-ROCHE CLERMAIN ▪ SOLOGNY ▪ BERZÉ-LA-VILLE ▪ ST POINT ▪ MILLY ▪ BERZÉ-LES-MOINES ▪ CHEVAGNY-LES-C. ▪ SANCÉ TRAMBLY ▪ PIERRECLOS ▪ REPLONGES ▪ ST PIERRE-LE-VIEUX ▪ TRAMAYES ▪ DAVAYÉ ▪ CHARNAY ▪ MACON ▪ ST ANDRÉ DE BAGÉ GERMOLLES ▪ LOCHÉ ▪ VARENNES ▪ CHANES

La Saône

RÉGION

DE

TOURNUS

Édifice majeur à trois nefs   Chœur

Édifice mineur complet   Ruines

Partie romane d'une église   Portail

0   5   10   15   20 Km

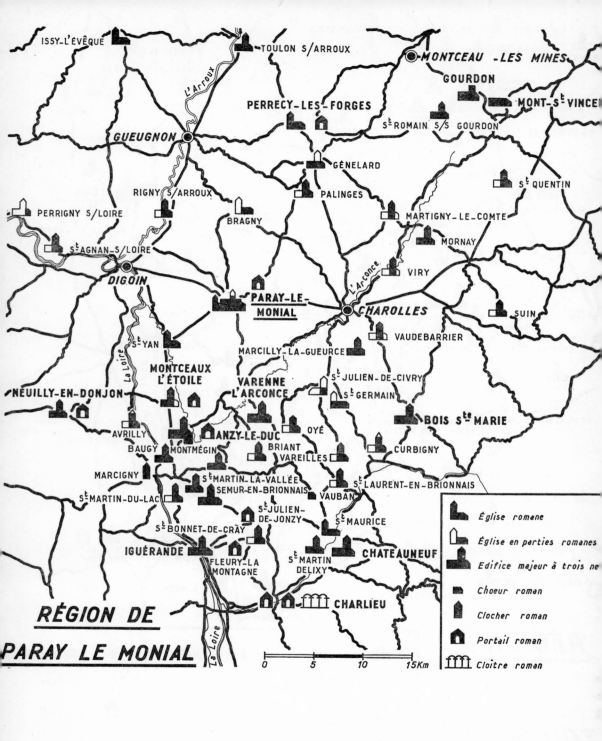

RÉGION DE
PARAY LE MONIAL

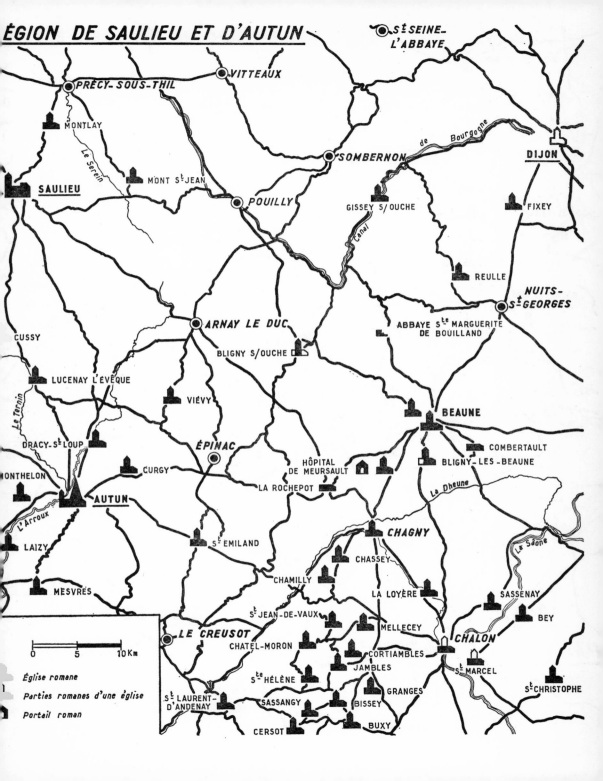

RÉGION DE VÉZELAY
ET AUXERRE

SIGNIFICATION DE L'ART ROMAN

Un monument roman témoigne de l'univers roman. L'œuvre d'art traduit son temps, et, à la vérité, le trahit. Nulle plus belle image, nulle plus claire vision ne pouvait être donnée du XVIIᵉ siècle que celle de Versailles, et du XVIIIᵉ que celle du monde enchanté de Fragonard — et de Watteau.

Il suffit de savoir lire un monument, d'en savoir déchiffrer la trame, le message inconsciemment formulé, pour apprendre davantage d'une époque, et d'un monde — le monde de cette époque — que ne saurait faire le plus impartial des historiens.

L'art roman a son langage. Et l'on aura beau nous dresser le plus savant des récits — le plus disert, le plus circonstancié aussi — encore faudra-t-il rendre compte de ce qu'une telle époque — présentée de la façon que l'on voudra — ait pu bâtir ce qu'elle a bâti (et dont il ne nous reste qu'une partie minime) et, l'ayant bâtie, lui ait imprimé des caractères particuliers, décisifs, évidents, d'autant moins niables qu'ils rejoignent, somme toute exactement, ce que les maîtres de ce temps dispensaient — ou tout au moins avaient dispensé — en leurs écrits.

Car enfin l'art roman est un grand art. Un des plus grands, sans doute, que l'histoire ait connu. De ce fait-là bien malin est qui saurait rendre compte sans magnifier le monde qui l'a conçu et, tout ensemble, réalisé. Le monde : et l'esprit qui l'animait. Car rien ne vient gratuitement, ni sans recherche, ni sans effort, ni sans, non plus, quelque consciente ou inconsciente volonté.

Or, cet art roman, s'il s'impose dès l'abord comme l'un des grands, c'est parce qu'il est en quelque sorte universel dans son extension. Je ne veux pas dire seulement par là qu'il a proliféré dans l'univers, tout l'univers qu'il pouvait atteindre à cet instant lointain de « la nuit des temps » (il va de la Scandinavie à l'Afrique du Nord, et de l'Irlande aux marches de Russie), mais surtout, et plus encore, qu'il a touché toutes les techniques possibles et leur a fait atteindre, à chacune, des développements inespérés. Qu'il s'agisse d'architecture, de peinture, de ferronnerie, de céramique, d'ornements liturgiques, de tissus, d'orfèvrerie, de musique, que sais-je? de tout ce que l'homme avait pu, jusqu'alors, découvrir et inventer, en tout ce qu'il avait pu faire sortir de ses mains par l'entremise d'un outil, l'art roman a mis sa marque, mieux même, a développé chaque technique jusqu'à lui conférer une splendeur inégalée, tout en maintenant — et c'est là finalement l'admirable — une étroite hiérarchie, une intense unité entre ces différents arts, ces divers métiers.

Pénétrez dans une église romane, et dites-moi où s'arrête la part de l'architecte, du maître d'œuvre, du maçon? Celle du maçon et celle du sculpteur? Celle du sculpteur et celle du peintre? Et ainsi de suite. Car, si l'on y prend garde, on verra vite que, dans ces édifices, les plans *réalisés* ne sont point parfaits. L'équerre n'y est point toujours de règle et les écarts y sont variés. L'architecte, sans nul doute, n'a point prévu au millimètre (qui n'existait point à cet instant, il est absurde de le rappeler) ces décalages, ces mouvements qui impriment pourtant à l'édifice ce je ne sais quoi de libre, de spontané, et, pour tout dire, de vivant, d'inventé. Le maçon est passé par là. Il a vivifié le plan : à la raison il a joint le grand corps de pierre et ce corps a donné vie au plan dont il était sorti. De même le maçon a joué de son appareillage. Il a manié le matériau. Il l'a mené jusqu'à ces sommets incomparables de Tournus, où, dans la façade, les murs, partout, explosent tout à la fois une science étonnante (ces murailles se dressent sans contrefort, sans soutien, sans appui, sur la verticale nue) et un sens consommé des possibilités ornementales de la pierre (car le maçon joue alors d'un petit appareil et sait donner une physionomie particulière, richement et sobrement imprimée au moindre mètre carré de son ouvrage). Mais ici, cette corniche, le maçon l'a posée, bien sûr, seulement le sculpteur l'avait aussi taillée. Il a même çà et là sculpté une pierre. Ou, plus exactement, le maçon a pris cette pierre, œuvrée par quelque sculpteur ancien, disparu, peut-être même oublié, et l'a enclose dans la trame de son ouvrage, sans craindre de déparer ce dernier : l'intrus faisant admirablement corps avec l'ensemble et s'insérant précisément où pouvait, au mieux, résonner sa voix.

Quant au peintre... Sait-on que ces églises romanes n'ont plus rien à voir avec ce qu'elles étaient, à l'époque de leur consécration ? Chapiteaux, piliers, voûtes, tout était peint. D'une polychromie dont nous pouvons difficilement nous faire idée, car, là encore, elle n'était point une intruse, tout juste acceptée ou du moins supportée, mais une sorte d'invitée, prévue et attendue, qui venait imposer à l'ensemble ce dernier lien, cette dernière unité : une harmonie générale, comme d'une symphonie colorée où les voix, pour finir, venaient ajouter les sons et faire tout vibrer : imposer à toutes les pierres, qu'elles soient simplement taillées ou sculptées, leur fonction définitive et essentielle de foyers de résonance en l'honneur de la louange divine en vue de laquelle, en fin de compte, l'église entière était élevée.

Comment cet art-là, où entrent tant d'éléments divers, a-t-il su pourtant leur imposer une telle unité, sans détruire cependant la liberté ? Car, c'est un fait, nul art n'a jamais paru si jeune, spontané, débridé. Au point qu'on a pu l'accuser de n'observer aucune règle (par méconnaissance, ajoutait-on, non par volonté). Il est vrai que, placé auprès des mondes classique et baroque, où l'art de la fiction (c'est ainsi que l'on entend alors la peinture) est loi, cet art roman paraît gauche, admirablement puéril, et comme inconscient. Il ignore le canon du corps humain. Il bâtit sans respecter l'exacte symétrie. Et ses murs sont en pierre de tout venant : couleur, taille, qualité.

C'est qu'alors l'unité s'opère, non sur le primat de la peinture, ou plus exactement du dessin (réalité abstraite), comme plus tard, mais sur celui de l'architecture. L'architecture est reine, souveraine absolue et il n'est point d'art qui ne se révèle — par certains côtés — architecture. La représentation du monde, si l'on veut, y tient moins de place que sa construction et le souci d'intégrer, dans l'architecture de l'édifice (art sans rapport avec la nature, art tout inventé), une architecture qui s'y insère, qui, loin de contrarier l'architecture générale, ne fasse, au contraire, qu'y aspirer et en quelque sorte concoure à l'achever. Si l'on regarde de ce point de vue le tympan de Vézelay ou celui d'Autun — ou n'importe quel chapiteau de ces hauts lieux — on est frappé par leur évidence et, pour ainsi dire, leur *nécessité*. Aucune ligne n'y joue par pur hasard ou convenance. Tout y est justifié. Les gestes s'inscrivent dans des directions définies : verticales, horizontales, obliques, cercles et rien ne survient dans ces petits univers qui ne soit régi et comme impitoyablement ramené à ces nécessités sous-jacentes, au point qu'un œil un tant soit peu exercé a tôt fait de les déchiffrer.

Et pourtant cet art-là, à tel point dominé, à tel point dirigé (si l'on ose dire), est absolue liberté. La raison du mystère ? C'est qu'ici règne l'entente mutuelle, la concorde et l'esprit d'entraide, de communauté, bref : la charité. L'architecte n'est point le tyran implacable qui fixe à chacun son domaine — comme à regret. Il est celui qui suscite l'audace et l'invention (voyez comme, à Autun, il dispense savamment l'éclairage pour mieux mettre en valeur les chapiteaux sculptés). Il est le frère aîné qui guide et donne conseil, tout en maintenant la barre, en imposant la ligne de direction. D'accepter cette collaboration mutuelle, d'y voir tout ce que l'on en peut tirer, d'accepter surtout d'envisager l'*Œuvre* entière et point seulement son propre ouvrage, sa petite pierre dans le chantier, chacun se hausse, voit plus loin et *peut* davantage. Chacun dépasse les limites de ses propres capacités et communie à l'édifice entier dont il est l'un des artisans et qu'il contribue finalement à bâtir, non point seulement dans l'une de ses parties, mais bien dans sa totalité, par le coude à coude fraternel qu'il a su donner à tous ceux qui, avec lui et comme lui, prêtaient cœur et bras à la réalisation de l'*Ouvrage* entier, de l'église totale : de la crypte au clocher, de l'abside au narthex et du porche au chevet.

Pour ces gens-là n'existait que l'église : cette maison dont la construction avait des lois. Et ils s'y soumettaient volontiers parce qu'ils avaient l'*humilité*.

Il est important, je crois, d'insister là-dessus. On peut admettre la validité des principes ici énoncés. La chose est, somme toute, aisée. Mais pour peu que l'on veuille les mettre en pratique, on a tôt fait de les oublier, de revenir à ses inévitables penchants, égoïstes et séparatistes. Et si les gens du Moyen Age demeuraient fidèles à cet esprit sur le chantier, c'est, n'en doutons pas, qu'ils usaient du même, en fait, dans tout le reste de leur vie. Vouloir comprendre le XIIᵉ siècle sans l'éclairer aux feux du Christianisme est besogne folle, insensée.

Les hommes de ce temps-là croyaient en ce qu'affirmait saint Paul, à savoir qu'ils étaient un seul corps, un vaste corps dont le Christ était la tête et eux les membres. « *Vous êtes le Corps du Christ* » (I Cor., XII, 27). « *Nous sommes tous membres les uns des autres* » (Rom., XII, 5). Et alors « *qu'as-tu que tu n'aies reçu?* » (I Cor., IV, 7). Ce n'était point à l'estomac de se révolter contre les pieds, ni aux mains contre le cœur. Tout servait à la même tâche, tout tendait au même but, à l'édification du même ouvrage. Ce que l'un faisait servait à tous. Au seigneur de protéger ses gens, à ceux-ci de le nourrir et, du même coup, se nourrir. Au moine de prier. Car prier est une autre façon de protéger. Et de beaucoup la meilleure, à une époque où l'on croyait à l'esprit et aux valeurs de l'esprit. Aussi construisait-on pour les moines et travaillait-on pour eux volontiers, à seule condition toutefois qu'ils aillent, sept fois le jour et une la nuit, prier dans leur église aux intentions dernières de toute la Chrétienté.

Et alors édifier l'église, c'était comme édifier l'Église. Ou plus exactement c'était rigoureusement l'édifier. A l'instant où ils bâtissaient Tournus ou Cluny, Vézelay ou Saulieu, ils avaient conscience de réaliser, enfin *sensiblement*, en petit, ce qu'ils ne cessaient de réaliser *spirituellement* en tous les actes de leur vie. C'est pourquoi ils étaient prêts. C'est pourquoi au même instant, et sans interruption au cours des temps — de « la nuit des temps » alors si lumineuse — ils élevaient église sur église, à tout carrefour de la Chrétienté. On démolissait, on reconstruisait, on agrandissait, on élevait. Partout on mettait en œuvre un tel cœur, partout on multipliait les œuvres sous ses pieds. Avec une prodigalité dont nous n'avons pas idée.

Lisez saint Augustin parlant de la musique. Sa référence constante est à l'âme. Il ramène l'art à la vie. Et la vie, pour lui, n'est que chrétienne, elle est la Vie. « *L'âme,* dit-il, *n'est rien par elle-même, autrement elle ne serait pas changeante et ne subirait pas l'imperfection de son essence ; n'étant donc rien par elle-même, tout ce qu'elle a d'être lui vient de Dieu, et,* lorsqu'elle demeure à son rang, *Dieu, par sa présence, la fortifie en son esprit et sa conscience. Elle possède donc là un bien* tout intérieur. *Aussi pour elle, s'enfler d'orgueil, c'est se répandre à l'extérieur et, pour ainsi parler, s'épuiser, c'est-à-dire être de moins en moins. Or, se répandre à l'extérieur, qu'est-ce autre chose que dissiper ses richesses intimes, c'est-à-dire rendre son Dieu lointain, non par un intervalle de Dieu, mais par les affections du cœur ? » (De Musica, l. 6, c. 13, par. 40).* Que saint Augustin ramène la musique à la liaison de l'âme avec Dieu (la re-ligion) voilà de quoi, je pense, étonner beaucoup. Mais s'il usait d'un tel langage au sujet de la musique, qu'aurait-il dit en parlant des autres arts, et spécialement de ceux qui concourent à l'édification de la maison de Dieu, alors que, pour les chrétiens d'alors, la leçon de saint Paul était sue et reçue : « *Ne savez-vous pas que vous êtes le Temple de Dieu et que l'Esprit de Dieu habite en vous ?* » (I Cor., III, 16). Ramener l'édifice matériel à l'âme, c'était, somme toute, rapporter l'ouvrage à son modèle. Et il fallait appliquer, en son art, ce que l'on s'exerçait à opérer dans sa vie. « *Demeurer à son rang* ». Seule façon de s'enrichir, puisque garder de la sorte contact avec Dieu, la seule richesse. Le sculpteur du tympan, de se plier à l'architecture d'ensemble, en sortait grandi. Son œuvre ne se limitait point à elle-même, elle rayonnait : l'église entière était son prolongement, sa mesure et comme sa gloire. D'accepter l'ensemble de l'édifice, je le répète, chaque ouvrier dépassait du même coup son rôle restreint, limité, particulier — son étroitesse propre — pour se hausser à la taille du tout, et, partant, dominer la mesquinerie de son labeur, et, en quelque sorte, échapper à la tyrannie des lois. « *L'attention de l'âme à son corps particulier entraîne des occupations troubles et de même un attachement à quelque œuvre particulière au mépris de la loi universelle, sans pourtant que cette activité puisse échapper à l'ordre universel régi par Dieu. Ainsi celui qui n'aime pas les lois est soumis aux lois* » (*De Musica,* l. 6, c. 14, par. 48). On ne saurait chercher ailleurs qu'en ce propos — d'allure paradoxale — raison plus claire, et plus profonde, à l'invraisemblable liberté de l'artisan roman — de l'homme roman — à l'intérieur des lois strictes et austères qui règlent tout ensemble son art et sa vie.

Pour nous, épris de liberté totale — c'est-à-dire de servitude à soi-même, car est-il plus évidentes limites que celles de l'individualité ? — nous avons peine à concevoir une soumission qui échappe à l'écrasement féroce de l'esclave sous l'autorité brutale du dictateur. Mais l'ordre chrétien est à l'opposé de ces extrêmes : il se situe à ce milieu étrange et unique où, d'aimer l'universalité des êtres et des choses, l'homme atteint à une grandeur en quelque sorte universelle — « catholique » — si loin de sa bassesse et native étroitesse.

Et l'homme roman, non seulement accepte d'obéir à ces lois, mais encore les aime, et, par là, en devient en quelque sorte le maître. Il se trouve à l'aise, sous leur protection. En obligeant, c'est un fait, l'Amour libère.

Mais il faut ajouter aussitôt que cette référence permanente à l'âme et à la situation du chrétien au centre du Corps Mystique, engage inévitablement l'art roman dans une voie d'*intériorité*. « *Se répandre à l'extérieur, c'est pour ainsi parler, s'épuiser, c'est-à-dire être de moins en moins* ». Ce mot de saint Augustin explique bien cette sorte de méfiance des hommes romans à l'endroit des sens et des artifices sensibles. « *Les choses de la terre sont subordonnées à celles du ciel* » (*De Musica*, l. 6, c. 11, par. 29). Dès lors, il convient d'éviter soigneusement tout ce qui dissipe l'âme, projette l'homme hors de lui, le disperse dans le sensible : le distrait. Cet art-là sera un art de concentration, de recueillement. D'où sa recherche de clôture en quelque sorte. Tout univers roman, qu'il soit architecture ou sculpture, est, par essence, limité et cherche toujours à nous *préciser ses limites*. Le mouvement des piles mène à la courbe des voûtes et s'y achève. L'intense activité des chapiteaux — activité des personnages qui y figurent ou des lignes qui s'y inscrivent — ne déborde jamais au dehors, mais vient expirer à leur cadre extérieur qui en marque l'ultime achèvement, la nécessaire conclusion. Un tympan, clos par une voussure ornée de médaillons du zodiaque et des travaux des mois, est un univers en mouvement. Mais cet univers est fermé sur lui-même, et, finalement, centré. Car il se résume et s'achève dans le Christ immense, immuable, qui y prédomine et règne, indiscutablement.

Cet art ne répugne donc pas au mouvement, mais le mouvement, chez lui, loin d'être agitation, extériorisation, est éclosion d'un mouvement intérieur, infiniment subtil, infiniment secret, auquel on ne veut surtout que nous faire communier. But à tel point difficile qu'il mène, inévitablement, à compter pour peu de choses l'œuvre même au regard de ce qu'elle doit signifier. Car le tympan de Gislebert, à Autun, n'est jamais qu'un ensemble de blocs de pierre (taillés avec maîtrise, certes) tandis qu'il doit porter en lui et comme enclore la présence et la puissance d'un monde immense, infini : le seul qui compte. Et non point seulement le Ciel et l'Enfer, nos fins dernières, la résurrection générale et la pesée des âmes. Mais bien Dieu, et Dieu immuable, éternel, spirituel, « *cercle dont la circonférence est partout et le centre nulle part* ».

Il suffit de lire le *Traité de la Musique* de saint Augustin pour mesurer jusqu'à quelle intransigeance pouvait mener une telle acuité de vision : « *Qu'y-a-t'il donc de facile ? Serait-ce d'aimer les couleurs, les sons, les friandises, les roses et les corps moelleux ? Quoi ! Il serait facile à l'âme d'aimer ces choses-là où elle ne recherche que l'égalité et la proportion et où elle n'en saisit, en les examinant plus soigneusement, qu'un vestige, une ombre lointaine, et il lui serait difficile d'aimer Dieu, elle qui, toute blessée et souillée encore, en élevant vers lui, autant qu'elle peut, sa pensée, ne peut soupçonner en lui rien d'inégal, rien de disproportionné, rien de séparé par les lieux, rien de changeant dans les temps ? Peut-être met-elle sa joie à construire de vastes monuments et à se distinguer par ces œuvres d'art ; mais si elle se complaît en leurs harmonies* (et je ne vois pas ce qu'elle chercherait d'autre), *y a-t-il rien de ce qu'on appelle égalité et proportion qui n'y devienne la risée de la raison éclairée par la science ? Et s'il en est ainsi, pourquoi se précipite-t-elle vers ces* misères, *abandonnant le véritable temple de l'harmonie et bâtissant de ses ruines, des* édifices *de boue ?* » (*De Musica*, l. 6, c. 14, par. 44). Tel est l'étrange paradoxe de cet art. Parce qu'il se méprise, qu'il regarde plus haut que lui-même, il se dépasse et atteint à plus que lui-même. Car, n'en doutons pas, tout le mouvement de ces gens-là, toute leur tendance, leur ambition, était de parvenir à un but défini : non point voir une beauté quelconque, partielle et limitée, mais la Beauté. Et cette Beauté — qui est vivante, qui est Dieu, ils ne savent bien pouvoir l'atteindre que *vitalement,* spirituellement — par la mort, en dehors de toute matière. Aussi, bien qu'obligés, par leur condition même d'êtres corporels, d'œuvrer dans la matière, tout en se servant d'elle, et magistralement, ils la dominent, la dépassent étrangement, et, loin de s'arrêter à l'ouvrage qu'ils bâtissent, tendent à celui qu'il signifie : œuvre inœuvrée, œuvre céleste : l'Église de Dieu. « *Le corps est aussi une créature de Dieu, et il est orné d'une beauté propre, quoique* infime, *mais en face de la dignité de l'âme, on le* méprise, *comme l'excellence de l'or est souillée même par l'argent le plus pur. C'est pourquoi toutes ces harmonies provenant de notre condition mortelle, châtiment du péché, ne les excluons pas des ouvrages de la divine Providence, puisqu'elles sont belles en leur genre. Mais ne les aimons pas non plus comme pour trouver le bonheur en leur jouissance. Puisqu'elles sont temporelles, semblables à une planche sur les flots, ce n'est pas en les rejetant comme un fardeau, ni en nous y cramponnant comme à un ferme appui que nous parviendrons à nous en dégager. Mais c'est en en faisant bon usage »* (*De Musica*, l. 6, c. 14, par. 46). Doctrine incomparable. Non point d'un orgueilleux dédain à l'endroit des œuvres matérielles, non point d'un vaniteux et fol émerveillement à leur égard, mais d'une sorte d'humble acceptation du concret. Cette matière-là est moyen. La prendre pour fin serait folie. Mais on ne saurait trop en user, et user bien.

L'art roman s'éclaire étrangement à ces lueurs. Il s'explique, plus exactement. Son unité ne surprend pas : elle est normale et découle d'une source claire, limpide, indiscutable. Tous ces architectes, ces maçons, ces sculpteurs, ces peintres, tous les mille artisans de ces chantiers ne faisaient qu'un corps, qu'un cœur, qu'une âme. Ils n'avaient qu'un but : réaliser la tâche de leur vie, exprimer leur désir de Dieu, parce qu'ils *croyaient*. « *Quand irai-je et paraîtrai-je devant la face de Dieu?* » (Ps. 41, v. 3). « *Je ne demande qu'une chose au Seigneur, une seule : habiter dans sa demeure tous les jours de ma vie* » (Ps. 26, v. 4). Alors, Gislebert, au tympan d'Autun, pouvait s'attarder au Ciel, et déployer sur tous les visages du tympan — le Christ seul excepté — une immense compassion pour les damnés — ceux qui ont manqué à l'œuvre commune, au bel ouvrage. Car il crée des vides autour des pécheurs, à droite, et bloque, à gauche, les élus en une masse compacte (cette masse fraternelle des chantiers médiévaux). Égoïsme contre Charité et Charité contre Égoïsme. Voilà tout le secret de son tympan.

Cette joie alors qui éclate, qui fuse à tout propos, de leurs lèvres, de leurs mains et même de leurs ciseaux! Qui dira l'allégresse folle, la verve insensée, la familiarité même de ces hommes, œuvrant dans la maison de Dieu, coude à coude, dans une fraternelle entente? Nous n'épuiserons jamais la joie de leurs travaux! Anesse de Balaam à Saulieu, Simon le magicien à Autun, Capricorne à Vézelay... partout ce rire, cette joie folle, enfantine, *pure!* D'avoir tout dépouillé, ils ont accès à la Joie — à la béatitude du pauvre — et tout leur est donné. Par surcroît.

Ce serait singulièrement limiter notre profit que de vouloir aborder le monde roman au seul regard de l'esthétique. D'ailleurs, ce serait grandement fausser l'intention de ses auteurs que de limiter leur désir à ce point. Épris d'intelligence, ils cherchaient des *signes*. Ce qui, pour nous, n'est trop souvent qu'un terme, était pour eux moyen, et référence. « *Il n'y avait pas d'abord pour eux l'art mais la vérité. Ils ne demandaient pas à un crucifix d'être plus beau qu'un autre, mais d'être davantage le Christ* » (Malraux : *Psychologie de l'Art. La Création artistique*, p. 66). Et la beauté s'ensuivait, nécessairement. Non comme principe, mais conséquence, Tournus, Paray, Saulieu, Autun, Vézelay, c'était pour eux des symboles. Ils voyaient plus et plus loin que nous. De se sentir voyageurs, à leurs yeux le terme seul importait. Ne savait dès lors les distraire, ne savait les capter que cela seul qui impliquait référence, qui était déjà tabernacle : « *Passer du tabernacle admirable à la maison de Dieu* » (Ps. 31, v. 5), voilà bien toute leur vie !

Cet art-là, il est vrai, ne pouvait résister à la tension. Un jour après l'autre, les sirènes opéraient leur charme, inévitablement. L'œil, séduit, ravi, réclamait doucement sa part — sa part propre, à l'écart de l'âme. Ainsi déjà Ève, aux premiers jours du monde. Et depuis... Une fois lancé, le mouvement s'accélère. La beauté devient pressante : but suprême, but unique bientôt. Constant rappel ! L'âge roman se clôt. C'en est fait de lui. On va le juger barbare : cette sculpture qui se plie à l'architecture, que n'imite-t-elle la nature ! Et ce sera l'éparpillement, la dispersion, l'effondrement. La sculpture, abandonnée sur les pelouses, dans les églises. Bientôt les musées. Il faudra notre carence, notre misère, pour faire saisir enfin l'évidence. Tel l'enfant prodigue, pleurant parmi ses troupeaux, perdu parmi ses cochons. « Dans la maison de mon Père, j'avais du pain en abondance. Et maintenant, ici... »

La signification de l'art roman, en notre temps, est évidente. Il y faut voir un regret, le regret d'un monde. Le regret d'un ordre chrétien qui fut le nôtre et qui brille d'un dernier éclat à cet instant où l'horizon s'enténèbre, inexorablement, et où l'esprit, vaincu, semble sur le point de disparaître, chassé, battu, anéanti par la matière.

DOM ANGELICO SURCHAMP

TOURNUS

A mi-chemin entre Chalon et Mâcon, Tournus, l'inévitable.

La route même passe, en quelque sorte, devant Saint-Philibert. Un instant à peine, entre les tours d'entrée de l'antique abbaye, paraît la façade, dressée d'un jet, sobre, silencieuse.

Aucun « effet », ou plutôt aucune recherche d' « effet » dans cette église. Il semble que l'on ait voulu à tout prix éviter la facilité. La nef et les collatéraux sont chose unique, sans commune mesure, ni ressemblance avec les édifices romans que nous sommes accoutumés de voir.

On ne pénètre pas d'emblée en cet univers.

Et puis, il est des édifices qui plaisent, d'autres qui rayonnent : Saint-Philibert est du nombre de ceux-ci.

VÉRITÉ DE TOURNUS

Rien n'est plus riche de leçons qu'un contact prolongé avec un édifice. Et de tous les monuments que l'on puisse ainsi approcher, Saint-Philibert de Tournus est peut-être l'un des plus précieux, parce qu'il nous permet de pénétrer au cœur d'âges lointains, perdus dans « la nuit des temps ».

Deux mondes s'unissent à Tournus, dont l'un — de beaucoup le plus beau — est le plus ancien. D'un côté, le narthex et l'étage du narthex, la nef et ses collatéraux. De l'autre, le transept et le chœur. Lorsque l'on avance dans l'église, une rupture s'opère, en effet, au niveau du transept. Il serait vain de le nier. A l'ampleur, à l'étonnante ampleur des masses, jusqu'alors rencontrées, succède, par l'entremise du transept, l'étroitesse et l'exiguïté du chœur.

Il est vrai que l'architecte du chœur fut sans doute gêné par la crypte dont il dut épouser les contours. Et, devant joindre nef et sanctuaire, peut-être essaya-t-il, pour éviter le choc par trop brutal de cette rencontre, de composer la coupole du transept, à la fois vaste, et déjà grêle — quand on la compare aux parties antérieures ?

Quoiqu'il en soit, il est certain que deux univers se trouvent ici en présence. Dans le premier le maçon est roi. Seul à l'ouvrage, il s'exprime avec force, puissance, violence. Cette partie, qui va de la façade au transept, est austère, certes, parce que vraiment réduite à *l'essentiel*. Murs, piles, voûtes. Tout cela bâti avec luxe de moyens, abondance de trouvailles, sens étonnant des proportions et de l'accord des masses. Rien que *d'essentiel*. La couleur est celle du matériau, la sculpture reste une sculpture de maçon, si l'on ose dire : gravée dans la pierre, elle en est comme le visage, mais ne se distingue point d'elle, en quelque sorte (pl. 3, 5, 20). Les piles partent d'un tambour très mince, au collatéral Nord, du sol, partout ailleurs, et s'achèvent sur deux assises plus larges, en encorbellement (pl. 11, 12). Aucune sculpture. Rien que la magie d'un petit appareil et la fine coloration de la pierre...

Au XIIe, tout sera couvert de fresques. Peut-être ne faut-il pas trop regretter leur départ — bien qu'elles doivent avoir été fort belles, à en juger par ce qu'il en reste à la voûte de la nef du narthex. La majesté nue et dépouillée de l'œuvre nous est ainsi restituée, telle qu'elle jaillit de la main du maçon, avant même que tout enduit vînt dérober au regard le matériau d'origine.

Au transept, le sculpteur surgit. L'essentiel commence, non point à disparaître, mais à s'accompagner d'accidentel. Nous assistons à la première étape (encore bien calme et très acceptable) d'une démarche qui en viendra — dans plusieurs siècles — à éliminer l'essentiel, par prolifération excessive de l'accidentel. Le superflu aura raison du nécessaire.

Voyez à la planche 12 la rencontre de la moulure qui cerne l'imposte du grand arc Nord du transept, avec le double cordon qui surmonte les piles de la nef. Il y a, dans ce passage, somme toute minime, l'annonce directe du sculpteur, qui va bientôt paraître au côté Sud (pl. 14).

D'aucuns reprocheront peut-être à Tournus sa sévérité. Cette austérité leur paraîtra sans doute excessive. Qu'ils relisent alors l'Évangile. La porte étroite et la porte close, toutes choses qui s'appellent l'une l'autre. « Quand vous priez, ne soyez pas comme des hypocrites qui aiment à prier debout dans les synagogues et au coin des rues, pour être vus des hommes. En vérité, je vous le dis, ils reçoivent leur récompense. Mais toi, quand tu pries, entre dans ta chambre, *ferme ta porte* et prie *ton Père qui est dans le Secret,* et ton Père qui voit dans le Secret te le rendra. *En priant ne multipliez pas vos vaines paroles* comme les païens qui s'imaginent qu'à force de paroles ils seront exaucés » (Mat., VI, 5-7). « Entrez par la porte *étroite*. Car large est la porte, spacieux le chemin qui mènent à la perdition et il y en a beaucoup qui les trouvent » (Mat., VII, 13, 14). « Quiconque entend ces paroles que je dis et les met en pratique sera semblable à un homme prudent qui a bâti sa maison sur la pierre. La pluie est tombée, les torrents sont venus, les vents ont soufflé et se sont jetés sur cette maison : elle n'est point tombée car elle était fondée sur la pierre » (Mat., VII, 24-25).

D'avoir ainsi entendu la voix du Maître sur la Montagne, d'y avoir surtout obéi, les anciens auteurs de Tournus avaient eu part, déjà, aux promesses de l'Apocalypse : « Et il me montra la Ville Sainte, Jérusalem, qui descendait du ciel d'auprès de Dieu, ayant la Gloire de Dieu... Elle avait une grande et haute muraille... » (Apoc., XXI, 10-12).

Chez eux l'essentiel triomphe : la Vérité.

L'Atelier du Cœur-Meurtry

PRÉSENTATION D'ENSEMBLE

LE MONASTÈRE

A Tournus, arrivés soudain entre les deux tours
« des champs », nous sommes tout étonnés, comme
en face d'un fort découvert trop tard. On n'a plus
qu'à se rendre. La muraille incomparable qui se
dresse devant nous, force à oublier le temps, à
pénétrer dans un autre monde (3). Cet aspect mili-
taire de la façade n'est que l'apparence extérieure
d'une réalité plus haute. Ce n'est pas ici le monde des
armes, mais le monde de la paix. La lutte essentielle
n'est pas corporelle, mais spirituelle.

Un couvent peut ressembler à une caserne, et
c'est tout autre chose. Une cellule monastique peut
ressembler, dans son austérité, à une cellule de
prisonnier, et c'est tout autre chose. La ressemblance extérieure est une apparence due à la simplicité et à la rigueur de conceptions architectoniques
semblables dont l'utilité directe et l'économie sont
le lien et la grandeur. La direction n'étant pas la
même, tout autre est l'esprit. Et la grandeur humaine
des appareils militaires est ici transformée en la
grandeur plus qu'humaine des édifices sacrés. Aussi
ne voit-on pas l'abbaye comme un monument
quelconque.

Ce n'est d'ailleurs pas un monument, mais un
ensemble. Un ensemble conçu dans un but religieux.
Qu'il faut donc regarder avec des yeux de religieux.
Tout au moins faut-il se représenter clairement,
comme aurait dit La Palisse — avec son bon sens
de soldat — qu'une abbaye, c'est un monastère,
c'est-à-dire essentiellement un lieu de culte avec
des bâtiments autour, *un ensemble vital pour des
religieux.*

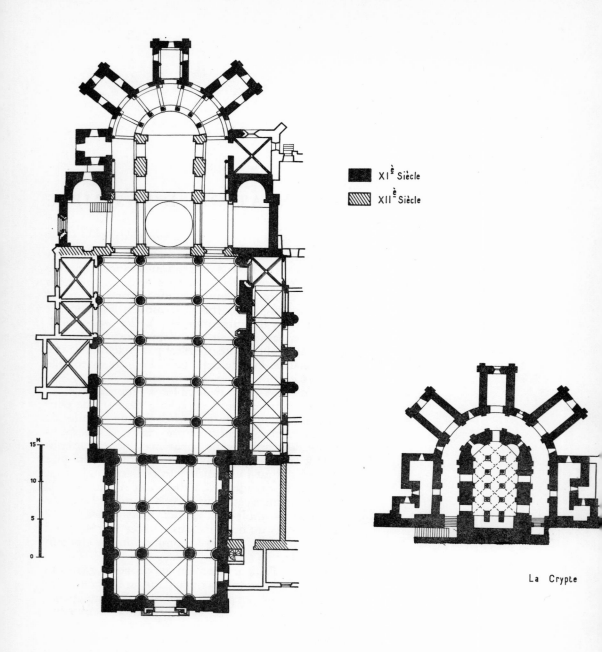

XI^è Siècle → XIᵉ Siècle

XII^è Siècle → XIIᵉ Siècle

La Crypte

SAINT-PHILIBERT DE TOURNUS

Ce n'est donc pas seulement un temple, une belle église avec ses clochers, mais un temple qui est le centre d'un organisme complet : *le monastère contient tout ce qu'il faut pour vivre et pour prier* (1).

Tout, car le monastère est un monde entier qui a ses raisons de vivre et son style de vie.

Ses raisons de vivre : le service de Dieu. Son style de vie : la Règle.

Vivre en paix : une solide clôture pour être tranquille et séparé du monde. La nécessité des temps commande des murailles, et bonnes murailles de guerre, une enceinte fortifiée et des tours de défense pour se protéger des brigands et des troupes malveillantes, à l'occasion pour donner asile aux faibles poursuivis : les ravages opérés par les Normands à Noirmoutiers et dans l'Ouest, d'où avaient fui les moines de saint Philibert et les dévastations des Hongrois dans la vallée, de la Saône (Tournus vers 937), légitimaient les précautions. Le reste de la ville de Tournus, bâti plus au Sud sur un castrum romain, n'avait-il pas lui aussi sa protection ?

A l'abri des murs, il y a, dans l'enceinte du monastère, tout ce qu'il faut pour vivre. Ce qui est nécessaire à la vie (2). Ce qui est utile à la vie religieuse. Il y a les locaux de communauté, il y a les ateliers des moines chargés de besogne artisanale : église, salles, dortoir, réfectoire, cuisines, fours, caves, ateliers, entrepôts et magasins de céréales et fourrages, écuries, prison... et lorsque la discipline se relâchera, logis spéciaux pour les dignitaires...

On peut encore faire le tour d'ensemble, passant entre l'église abbatiale et ses constructions adhérentes que rasait l'imagination du début du siècle (cf. l'absurde dessin de F. Brenin, 1901, in H. Curé, pp. 288-289) et les vénérables tours, si vieilles qu'elles n'ont plus du tout l'air terrible : « tours des champs », maison du portier, tour Quinquempoix... Là, les caves (5) et le réfectoire des moines (6). Puis l'on passe sur la place des Arts devant le logis abbatial (11) sous le gros clocher. On vient voir les restes du cloître (10), du prieuré (12) et de la salle capitulaire (8, 9). Achevant le circuit, on longe les maisons canoniales, le bras Nord du transept, le flanc Nord du narthex.

Cette courte promenade aura montré des murs de toutes époques depuis le Xe siècle jusqu'à nos jours. Murs des vieilles tours et murs en épi des chapelles rayonnantes de l'abside, murs en appareil alterné de petites pierres jaunes et de grosses pierres blanches (dont certaines sont de réemploi de monuments romains ainsi qu'en témoigne l'inscription portée sur l'une d'elles au coin Nord du narthex), moyen appareil soigné du narthex, murs froids de l'époque gothique et des restaurations, maisons XVe, XVIe et XVIIe siècles. Au total, un tout fort complexe édifié et modifié de loin en loin, lentement mais avec grandeur et simplicité. Seuls les bâtiments modernes ne sont pas flattés de la comparaison que leur inflige le voisinage : leurs maçons n'étaient que des manœuvres.

Revenus devant « la grande église », préparez-vous à entrer. Si vous êtes pressé, n'entrez pas, vous reviendrez un autre jour. Si vous êtes curieux, prenez un guide, il vous expliquera le plan de la triple église, la chronologie supposée des diverses parties et vous montrera bien des merveilles. Mais pour entrer dans le mystère de cette abbaye il faut faire silence. Se faire un peu moine. Ici, tout est religieux, d'abord et essentiellement religieux. Tous ces murs sont des édifices religieux bâtis pour des religieux dont toute la vie n'a qu'un sens : le service de Dieu.

L'abbaye est un sanctuaire, un double, un triple sanctuaire.

LA MAISON DE PRIÈRE

Tournus est une abbaye, un monastère. Beaucoup ne voient que l'église. L'église n'est pas tout et ne peut être isolée. Mais il faut bien convenir qu'elle est le principal. Elle est le centre de la vie du monastère, parce que l'office est l'essentiel de la vie du moine, parce que la prière est le premier devoir, le premier commandement.

Pour plusieurs raisons les constructeurs l'ont voulue grande et belle : d'abord parce que c'est la maison de Dieu, ensuite parce que cette maison de Dieu, étant maison de prière, est l'endroit où les moines passent le plus de temps. Mais l'église a aussi des visiteurs, des pèlerins qui viennent en foule à certains jours, en particulier pour vénérer les reliques de saint Valérien et de saint Philibert, et prier devant la statue de Notre-Dame-la-Brune. Car l'église fut dédiée à la Vierge Marie en même temps qu'aux deux saints. Les reliques de saint Valérien ont été dispersées par les calvinistes. Celles de saint Philibert furent sauvées sous la Révolution par « la femme Laurent » et Notre-Dame-la-Brune par « la femme Lasalle ». Nous pouvons être certains que ce ne fut pas tant par admiration pour la beauté de la statue (23) que par piété : Notre-Dame-la-Brune était vénérée jusque dans les rangs des « patriotes » dont faisait partie cette femme.

Il y a donc dans cette église, dès les origines, plusieurs pôles de dévotion. Il y en eut bien d'autres par la suite, mais les reliques les plus fameuses ne l'emportèrent jamais sur celles qui étaient traditionnellement assurées.

Dès le début l'adoration et le culte au Dieu tout-puissant étaient adressés sur les autels et les reliquaires par l'intercession des saints patrons des communautés. Les moines de saint Philibert lorsqu'ils s'établirent au monastère de saint Valérien, qui existait déjà depuis longtemps, apportaient leurs traditions et leurs dévotions. Comment se fit l'unité ? A vrai dire nous ne savons pas bien. Il semble que les moines de saint Philibert, communauté importante, aient reçu le monastère de Tournus par décision de l'autorité royale (Charles le Chauve). Il y eut des difficultés. Mais peut-on dire que les deux communautés restèrent d'abord séparées pour s'unir ensuite ? Si l'on peut affirmer que la communauté de saint Valérien avait son sanctuaire à l'emplacement de la crypte, peut-on admettre que celle de saint Philibert ait eu d'abord le sien à l'emplacement du narthex ? Nous trouvons les parties les plus anciennes de l'édifice aux extrémités. Cela ne prouve pas que le plan d'ensemble d'une église unique ait été tardivement adopté. Cela peut indiquer que l'on a dû refaire le milieu, comme il semble.

En tout cas, malgré la diversité des parties et l'embarras de l'archéologue qui ne peut proposer au visiteur une visite suivie, il nous semble que l'unité de l'édifice nous est donnée, intérieurement bien sûr par la liturgie, mais dans l'architecture elle-même par l'équilibre du plan, qui exception faite des ajoutes gothiques, est remarquable.

Les moines avaient besoin d'une église, comme, pourrait-on dire, d'un outil de prière, un cadre liturgique. Ils ont bâti un bon outil, simple, solide, grand et sacré. C'étaient de bons ouvriers. Et si nous jugeons de la qualité de leur prière par celle de leur maçonnerie, nous devrions bien, en admirant celle-ci, imiter davantage la première, afin de pouvoir répéter avec eux les paroles de saint Paul : « nous sommes ouvriers avec Dieu, serviteurs du Christ, dispensateurs des mystères divins » (I Cor., III, 9; IV, 1).

A défaut d'une visite suivie, soit du point de vue archéologique, soit du point de vue pratique, nous renvoyons le lecteur à des notes concernant les principaux points. Nous pourrions conseiller de suivre le bas-côté Nord (18), de visiter la crypte (15), puis faisant le tour du déambulatoire (21), descendre le bas-côté Sud (23), revenir au narthex (16) et terminer en montant à la salle haute (25) et au clocher (26). Évidemment, cette magnifique salle haute, qualitativement, est avec le narthex, avant la nef (22), la première chose à connaître. Il est regrettable que l'on n'y puisse monter comme autrefois par des escaliers de bois prenant dans les bas-côtés, et que l'on soit coupé de l'église par la présence de l'orgue (24) et des vitres. Car cette tribune, si elle pouvait servir de refuge et de donjon, était d'abord, comme le reste de l'église et avec lui, un lieu de prière.

L'abbaye de Tournus, si remarquable au point de vue archéologique et esthétique, est d'abord un sanctuaire. Ce fut un reliquaire élevé pour la gloire de Dieu, à la mémoire de ses fidèles serviteurs, Valérien, Adalger, Philibert, Ardain, dont l'exemple nous est proposé. Ce fut un monastère, puis une collégiale. C'est maintenant une paroisse. C'est toujours le lieu saint de la prière. D'une prière en commun.

A Paray-le-Monial on souhaiterait que les nombreux pèlerins sachent apprécier davantage la beauté et l'art de la basilique de saint Hugues et que leur goût soit plus éclairé. A Tournus, on pourrait souhaiter que les nombreux touristes et connaisseurs qui apprécient la valeur de l'édifice roman, pénètrent davantage dans son climat, aient plus de piété, viennent comme autrefois en pèlerins à la crypte saint Valérien, à la châsse de saint Philibert, à l'antique statue reliquaire de Notre-Dame.

Nous sommes heureux de voir de plus en plus d'intérêt pour l'abbaye, qui devient, par la création du C. I. E. R., un centre d'études. Mais puisqu'il s'agit d'études romanes, nous souhaitons que ces études — comme à l'époque des moines — ne soient pas coupées de la prière et de la pensée de Dieu. Il ne nous suffit pas d'admirer l'œuvre des romans, il nous faut imiter ce qu'ils avaient de meilleur. Et ce qu'ils avaient de meilleur, ce n'était pas la technique, c'était l'esprit.

ABBÉ ANDRÉ GAUDILLIÈRE

Dates

Fin du IIe siècle. Il y eut à Tournus un camp romain et une agglomération très tôt évangélisée. Le culte du martyr saint Valérien est attesté dès l'origine.

684 Saint Philibert meurt à Noirmoutiers. Sa Règle est un compromis de celles de saint Benoît et de saint Colomban.

Au début du IXe siècle. Devant les pirates normands, les moines de Noirmoutiers se réfugient à Déas ou Dée (Saint-Philibert de Grand-Lieu).

16 mars 819. Une charte de Louis le Débonnaire les autorise à couper la route royale d'un canal destiné à amener les eaux de la Bedonia (Boulogne) à charge de construire un pont.

Jusqu'en 835. Dans l'intermittence des raids normands, et surtout pendant les hivers, les moines font encore acte de présence dans l'île.

(836) Mais ils doivent fuir finalement emportant les reliques de saint Philibert. Ils se réfugient :

(854) A Saint-Pierre de Buxeuil, dans le Maine.
(857) A Cunauld, en Anjou.
(862) A Messay, en Poitou.
(871) A Saint-Pourçain-sur-Sioule.

875 Ils arrivent enfin à Tournus et s'installent à l'abbaye Saint-Valérien, édifiée sur l'emplacement de la sépulture du martyr, compagnon de saint Marcel de Châlon (+ vers 179). Emplacement présumé de la crypte actuelle.

879 Don du prieuré de Talger (au comté de Genève) par le roi Boson.

16 juillet 889 Le roi Eudes de France confirme les donations et privilèges précédemment accordés aux moines.

935-937-940 Sous le sixième (Hervé II) ou le septième abbé de Tournus, Aimin (928-946), pillage et incendie par les Hongrois qui dévastent la région.

946 Geoffroy, archevêque de Besançon, concède quelques fonds à Belné, moyennant un cens annuel de douze deniers.

946 Troubles intérieurs : élection de l'abbé Hervé (III) à Saint-Pourçain où la plupart des moines sont revenus, tandis qu'une autre fraction reste à Tournus avec Gui, soutenu par Gilbert, comte de Châlon.

949 Après un certain nombre de calamités, on décide de refaire l'unité, de réunir la communauté. Un concile siège à Tournus, se prononce contre Gui et rappelle les moines partis à Saint-Pourçain.

Vers 960 Hervé meurt. Etienne, prieur de Saint-Pourçain, lui succède. Ce fut un grand bâtisseur.

970 La dévotion à saint Philibert n'a pas éclipsé la dévotion à saint Valérien qui est toujours grande : translation des reliques sur l'autel de la crypte.

989 Hugues Capet confirme les possessions des religieux, en particulier à Tournus l'abbaye Saint-Valérien, le castrum et la ville, ainsi que les églises de Biziat, Uchisy, Louhans et le prieuré de Saint-Romain en Mâconnais.

1006 Un grand incendie ravage l'abbaye sous l'abbé Wago. Bernier, qui lui succède, restaure.

29 août 1019 Consécration de l'église par Geoffroy de Chalon et Gauslein de Mâcon.

1031-1033 Famine (cf. récits de Raoul Glaber). Saint Ardain, abbé de 1028 à 1056, se montra « semblable à saint Hugues par sa charité ». On comprend qu'il vendit comme lui les objets précieux et les vases sacrés pour soulager les malheureux.

Restauration du monastère.
Sous l'abbé Pierre I (1066-1107) s'arrête la chronique du moine Falcon.

1075 Don à l'abbaye de Tournus de l'église et de quelques immeubles à Saint-André-de-Bage.

1115 Second concile de Tournus.

1120 Des remaniements et des travaux donnent lieu à une nouvelle consécration. Elle est célébrée par le pape Calixte II alors en séjour à Cluny (janvier).

1120, 1132, 1146 Bulles des papes Calixte II et Innocent II et charte du roi Louis VII confirmant les possessions et privilèges de l'abbaye de Tournus.

1140 Translation des reliques de saint Ardain.

1200 Foi et hommage présentés aux religieux par Ponce, seigneur de Cuiseaux.

1205 Exemption de tous droits de péage accordée par Hugues, abbé de Cluny, aux religieux de Tournus, dans tous les ports qui dépendent de Cluny.

1222 Autre exemption de péage accordée par Guillaume, comte de Vienne et de Mâcon, pour toute marchandise.

1232 Transaction consentie par Renaud de Bagé au sujet de la justice de Biziat.

1233 Hugues, duc de Bourgogne, accorde des droits de pêche. Exemptions de péages accordées par Olard de Montbellet et

1241 par Pierre de Saint-Germain-du-Plain.

1245 Un nouvel incendie ravage le monastère. Il semble que l'église fut sauve.

1246 Mandement de Boniface, abbé de Cîteaux, qui recommande à tous les fidèles de contribuer aux réparations de l'abbaye de Tournus.

1308 Arrêt du Parlement de Paris enjoignant au duc de Bourgogne restitution d'immeubles et droits seigneuriaux à Préty, à Lacrost, à Louhans, à Sainte-Croix, à Montpont, à Frontenaud, à Brienne...

1339 Déclaration d'Eudes, duc de Bourgogne, de foi et hommage pour certains fiefs qu'il tient du monastère de Tournus.

1339 Fondation de la chapelle Saint-Georges, le long du collatéral nord.

1361 Lettres patentes du roi Jean confirmant le droit de pêche dans la Saône.

Vers 1425 Sous Louis I de la Palu, on construit deux chapelles : chapelle Saint-Blaise et chapelle Notre-Dame de Consolation. En ce même XVe siècle on construit également la chapelle Saint-Vincent, actuellement sacristie.

Vers 1445 Hugues de Fitigny (50e abbé de Tournus) est nommé conseiller du roi Charles VII.

1468 Requête des habitants de Tournus à Charles, duc de Bourgogne, pour obtenir sur le temporel de l'abbaye la somme de 300 livres, frais de procès contre l'abbé, pour la réparation de leurs murailles.

1494 Réparation par l'abbé Jean IV de Toulonjon.

1484-1499 Donation d'une maison à l'intérieur de l'abbaye au chantre; provisions des chapelles Saint-Jean, Saint-Vincent et Saint-Georges.

11 juillet 1549 Arrêt du Parlement de Dijon qui maintient les religieux au droit de pêcher et faire pêcher en la rivière de Saône.

1562 Sac par les huguenots.

1627 Sécularisation : l'abbaye est transformée en collégiale qui sera elle-même supprimée en 1790.

1719 On blanchit l'église. Enduit.

1722 Réfection du pavé.

1772 Réunion de fait du collège public au petit séminaire.

1776 Cette réunion est officiellement admise.

1785 Suppression du titre abbatial.
Pendant la seconde moitié du XVIIIe siècle et en particulier en

1790 le chapitre est composé de douze chanoines dont trois dignitaires plein-prébendés, cinq ou six semi-prébendés. Le total des revenus est estimé à 39 492 livres.

1793-1794 Enlèvement des cloches.

1841 L'église Saint-Philibert classée « monument historique » est restaurée selon les plans de Questel.

1845-1851 Grande porte et galerie crénelée.

1901 Translation des reliques de saint Philibert au cours du « triduum du millénaire ».

Vers 1925 Décapage des murs.

1952 Cloître partie orientale : dégagement de baies éclairant la salle capitulaire et restauration du réfectoire (suppression d'un plancher qui le divisait en deux).

1953 Inauguration du Centre International d'Études Romanes.

1953-1954 Restauration de la salle capitulaire.

1954 Premier colloque du C. I. E. R.

Epoques de construction

Il semble qu'il ne reste rien des constructions antérieures au Xe siècle, sinon des fragments sans importance.

Les bâtisseurs firent naturellement emploi de matériaux de provenance diverse, en particulier de pierres de carrières locales avec réemploi de pierres de taille et de colonnes antiques...

Xe s. *Murs* en appareil alterné de grosses pierres blanches, mur septentrional du cloître, mur oriental du chauffoir.

Fin du Xe - début du XIe s. Narthex, étage du narthex; crypte : gros murs de construction.

XIᵉ s.   La chapelle de l'axe (Saint-Philibert) et les chapelles rayonnantes édifiées au-dessus des parties correspondantes de la crypte à peu près en même temps, ne semblent pas antérieures malgré l'emploi d'un procédé grossier de maçonnerie : l'ouvrage en épi ou arêtes de poisson, « opus spicatum ». Ces chapelles ainsi que les quatre chapelles orientées sont d'une même venue et témoignent de l'existence d'un plan en cours de réalisation qui sera le plan définitif de la grande église. On ne saurait, semble-t-il, remonter pour l'adoption de ce plan au-delà de l'abbé Etienne.

fin du XIᵉ s.   Lanterne, coupole, transept : croisillon Sud; nefs : piliers et arcades, voûtes des nefs mineures, puis à la nef centrale les arcades et voûtes qui remplacèrent les plafonds primitifs.

fin du XIᵉ - début XIIᵉ s.   Clocher Nord de façade, centre de la crypte, réfectoire, grandes caves.

milieu XIIᵉ s.   Sous l'abbé Francon du Rouzay : rhabillage du mur occidental du transept au croisillon Sud (F-RENCO ME F-ECIT) (?), transept : croisillon Nord à l'exception du mur gothique, déambulatoire à l'exception des restaurations modernes, gros clocher central.

fin XIIᵉ - XIIIᵉ s.   Baies du cloître, côté oriental.

XIIIᵉ s.   Porte du cloître Saint-Ardain.

XIIIᵉ - XIVᵉ s.   Salle du chapitre remplaçant la salle romane primitive, galerie crénelée refaite par Questel au XIXᵉ s.

XIVᵉ et XVᵉ s.   Chapelles latérales Nord, mur Nord du transept et chapelle Sud (sacristie), niche de Notre-Dame-la-Brune.

XVᵉ - XVIIᵉ s.   Logis abbatial et maisons canoniales.

XVIIIᵉ et XIXᵉ s.   Diverses dégradations et restaurations : portail, galerie de la terrasse, chœur, chapiteaux du déambulatoire et de la crypte.

XXᵉ s.   Restaurations (salle capitulaire).

En résumé, si l'on fait abstraction des parties gothiques et modernes accessoires, l'ensemble de l'abbaye : grande église et monastère dont il subsiste la plus grande partie, a été édifié du Xᵉ au XIIᵉ siècle. Pendant cette époque, comme le dit Jean Virey, « on ne s'est pour ainsi dire pas arrêté de bâtir ».

Ensemble rare par son originalité et son homogénéité, remarquable par la pureté de son style, ensemble que la destruction d'autres abbayes témoins de ce temps rend plus précieux encore.

CE NE SEROIT PAS VN GRAND
BONHEUR A TOURNUS, d'avoir esté le gre
nier & la place de munition pour la subsistanc
des légions Romaines, si S. Valeriain ne fus
survenu, pour ensemencer son terroir du grain d
l'Evangile, & l'arrouser de son sang, afin d
convertir Tournus la payenne en Tournus la
Chréstienne, & d'esclave des démons qu'elle estoi
en faire une espouse de IESVS-CHRIST.

Cet apostre soustint comme tout seul duran
plusieurs siècles la Chrestienté de Tournus, iusque
à ce qu'il plut à Dieu de le pourvoir d'vn aide ; i
veux dire, du grand S. Philibert dont le corp
ayant esté porté dans Tournus dez le XIV. Ma
de l'an 875, avec plusieurs autres corps saincts
& précieuses reliques ; cette Eglise par le don d
Roy Charle le Chauve, érigée en tiltre d'abbay
royale, fut un abbord pour la dévotion, des plu
signalez de toute la France.

Les porteurs de ces sainctes reliques, aprè
avoir couru plusieurs provinces de la France pa
l'espace de XXXIX. ans, pour éviter la fureu
des Normans, pour lors encore payens ; enfin l

uarantiefme année depuis leur fortie de l'isle de
Iermonftier, premier fépulcre de S. Philibert, ces
ouveaux Ifraëlites trouvèrent à Tournus leur
alaeftine, & vne terre de promiſsion qui leur
iftilla le laict & le miel.

Les biens y croiſsant à veuë d'œuil, par la libe-
alité des Rois & autres grands, & par la piété
es peuples, plusieurs Seigneurs & Dames de
aute extraction, s'eſtudièrent a y loger aucuns de
urs enfans : auprès defquels ceux de moindre
ndition ne pouvans trouver place, ce monaſtère
ut infenfiblement changé en un hofpital de nobleſse :
e qui n'advancea pas fa perfection. Ceux qui ont
ait le plus d'honneur à l'eſtat religieux, n'ont
as touſiours eſté tirez de l'efcarlate des grandes
aiſons.

Cependant on prit de temps en temps dans
ette abbaye pluſieurs Prélats, ou Evefques, ou
ardinaux : & ces saignées affoiblirent encore le
eſte du corps. Deux grands incendies, avec divers
ccidens de guerres et autres calamitez publiques,
onnerent de rudes attaques à cette illuſtre
mmunauté. Mais ce qui luy cauſa le plus de

NOTES

RENSEIGNEMENTS TECHNIQUES

1 PLAN ORGANISATION. *TOUT LE MONASTÈRE EST ÉTABLI AUTOUR de la grande église, qui est le centre de la vie monastique, vie d'oraison et de recueillement. Il est isolé et protégé de l'extérieur par l'enceinte qui aurait été circulaire si l'on n'avait tenu compte des nécessités du sol. De proche en proche, à portée des armes de jet, une tour vient renforcer la muraille. Deux portes certainement, l'une à l'Ouest, l'autre au Sud, aux endroits où l'on entre encore. Une troisième peut-être, sur l'Est, en bas des remparts pour aller aux jardins, à la fontaine et à la rivière. L'eau ne manque pas. Il y en a dans tout le sous-sol et plusieurs puits à l'intérieur du monastère, en particulier un au cloître et un à la crypte.*

Des bâtiments de service sont accolés à l'intérieur du rempart cependant que les bâtiments principaux forment un carré dont la grande église est le côté Nord. Ce côté le plus important abrite le cloître et le reste du monastère des vents de bise redoutés en mauvaise saison dans cette vallée de la Saône.

A l'Est, le rempart domine quelque peu le pays, sur les autres côtés un fossé devait augmenter de sa profondeur la hauteur et la valeur défensive des murs et des tours. Peut-être n'y avait-il pas de fossé du côté de la ville au Sud, mais le sol a dû s'élever un peu. Au reste l'abbaye n'était pas une forteresse prévue pour résister seule aux armées, mais seulement une prudente protection contre les gêneurs, les brigands ou des bandes armées qui ne sauraient organiser un long siège.

2 *VIVRE.* D'ABORD VIVRE. LE MOINE NE VIT PAS SEULEMENT DE pain, mais il ne vit pas encore comme un ange. Il lui faut comme à tout homme des nourritures matérielles et des installations pratiques. Une bonne santé est la condition d'une vie religieuse régulière. Une alimentation et une vie équilibrée sont nécessaires à la bonne santé. Les auteurs spirituels n'y contredisent pas et les règles monastiques ont naturellement plus d'articles sur les choses du corps que sur celles de l'âme. Cela ne saurait étonner que les naïfs. Même si c'est rudement, il faut bien manger, boire, dormir. Il faut bien se réunir et travailler. Il faut donc des locaux pour cela. Si l'église par sa destination, ses dimensions et son ampleur marque une importance privilégiée, dans la vie du moine, il reste que, parallèlement, le réfectoire tient la première place, puis la salle du chapitre et le dortoir qui la surmonte, les cloîtres, les greniers, magasins, caves et annexes.

Les ressources du monastère proviennent principalement des biens-fonds lui appartenant et de leurs revenus, de divers bénéfices, dons, dîmes, droits de péage et autres droits, pêche en rivière de Saône depuis Thorey jusqu'à Saint-Romain en Mâconnais...

Sans avoir une puissance comparable à celle de Cluny, l'abbaye de Tournus pour un nombre de moines assez restreint était assez bien pourvue, ainsi qu'en témoignent les terriers (liste des terres possédées) et pouillés (liste des dépendances et bénéfices).

3 FAÇADE. *LA FAÇADE EST UN MUR. UN MUR ADMIRABLE QUI peut être considéré comme le réduit défensif de l'abbaye, le donjon. Sur une largeur de 16 m 60 et sur une vingtaine de mètres de hauteur, aucune ouverture sinon des archères. Aucune ornementation sinon fonctionnelle : ces renforcements de murs que l'on appelle bandes lombardes et qui sont comme l'armature de la muraille, cependant que les trous laissés par les poutres d'échafaudage brisent la régularité de la surface. On peut bien redire que la maçonnerie est reine ici. Une maçonnerie qui est un modèle de perfection, avec un matériau pourtant médiocre en carrière. « La plus belle ornementation, c'est*

44

l'architecture elle-même, quand elle est belle ». On peut le répéter. Pourtant, à la naissance des tours deux lignes de moellons, en dents de scie et en dents d'engrenage, agrémentent de leurs zigzags et de leurs fantaisies la surface austère. Au-dessus, plus de meurtrières, mais de vraies fenêtres, magnifiquement ornées de colonnettes fort soignées. Cette tour Sud est une réussite incomparable.

(Nous faisons naturellement abstraction de la galerie crénelée et du portail d'entrée dus à Questel au XIXᵉ siècle.)

4 CHAUFFOIR. LE CHAUFFOIR EST SITUÉ ENTRE L'ÉGLISE, LE CLOÎtre et les caves. On peut y accéder en suite du tambour d'entrée (moderne) par une porte située au pied de l'escalier qui monte aux clochers. Le nom de cette salle lui vient de sa cheminée centrale selon la mode antique. De plus, placée au milieu de murs épais, la température s'y trouve remarquablement constante, tempérée en toute saison. Peut-être était-ce l'endroit où les moines lettrés écrivaient et étudiaient ? On a placé dans cette salle de beaux *sarcophages* en grès, sculptés extérieurement et intérieurement en zigzags selon le procédé décoratif des celtes. Ils sont sûrement antérieurs au Xᵉ siècle. D'autres sarcophages semblables se trouvent à l'extérieur de l'église, au Nord des chapelles de la crypte. D'autres se trouvent dans les grandes caves, et il y en a certainement encore en terre.

Dans la paroi du mur oriental du chauffoir, on remarquera une pierre sculptée représentant Léviathan, le monstre marin biblique.

5 GRANDES CAVES. *LES GRANDES CAVES QUI ONT PARFOIS CHANGÉ d'affectation au cours des siècles en devenant entrepôts divers, sont revenues en partie à leur première destination. Elles sont malheureusement partagées dans le sens de leur hauteur comme l'était le réfectoire il y a peu de temps.*

Pourquoi se demanderont certains, fallait-il de si grandes caves dans un monastère où, selon la règle, les moines doivent boire peu de vin ? Dire que la règle n'a pas toujours été suivie ne répond pas au fait puisque les caves datent d'une époque où elle l'était. On pourrait dire que, si les moines boivent peu de vin, les hôtes peuvent en boire davantage. Mais il semble que la véritable raison veut ce soit leurs clients qui en boivent le plus, car il est permis de penser qu'une part notable des ressources du monastère venait comme à Cluny de vigneronnages. Il fallait bien ranger cette marchandise et le plus sûr était de l'avoir au monastère...

6 RÉFECTOIRE. LE RÉFECTOIRE EST UNE GRANDE SALLE VOÛTÉE EN berceau brisé orientée parallèlement à l'église et autrefois éclairée sur le côté Sud par plusieurs fenêtres actuellement masquées par des constructions modernes. Avec ses 33 m 70 de longueur et ses 10 mètres de largeur, sa chaire

de lecteur encastrée dans le mur méridional, cette salle est sans doute l'une des plus belles salles romanes existant encore. Au Centre International d'Études Romanes est due la restauration de ce merveilleux monument.

7 CUISINES. *LES CUISINES ONT ÉTÉ DÉMOLIES. ELLES ÉTAIENT PEUTêtre au Sud-Ouest du réfectoire ?*

8 SALLE CAPITULAIRE. LA SALLE CAPITULAIRE ROMANE FUT DÉtruite par un incendie. Elle fut remplacée par la salle gothique que l'on peut voir. Elle-même assez endommagée au cours des siècles, elle ouvre sur le cloître côté oriental (face à l'Occident), par une porte avec escalier et plusieurs baies. Le côté donnant sur la place des arts a beaucoup souffert de nombreuses transformations dans les murs et les ouvertures. Sans mériter autant que le réfectoire des restaurations dont elle avait davantage besoin par ailleurs, cette salle vient cependant de bénéficier de restaurations opérées par les soins du C. I. E. R. Cette mise en valeur profite à l'ensemble. On ne peut que s'en réjouir.

9 DORTOIR. *LE DORTOIR QUI S'ÉTENDAIT AU-DESSUS DE LA salle capitulaire, et probablement plus loin qu'elle au Sud, a été détruit. Il ne reste rien maintenant à l'étage qui vaille la peine d'être mentionné.*

10 CLOÎTRE. LE CLOÎTRE S'ÉTENDAIT ENTRE L'ÉGLISE, LE RÉFECtoire, les grandes caves et la salle capitulaire, sur un quadrilatère qui n'est pas exactement celui de la cour actuelle. Le côté Nord appuyé contre le bas-côté Sud de l'église demeure seul et permet d'imaginer ce qu'il était, quoique très tôt les autres côtés aient dû avoir une autre allure.

Avant le XIIIᵉ siècle les arcades étaient évidemment ouvertes entre les piles et une banquette existait le long du mur de l'église. Ces murs étaient décorés de peintures dont on aperçoit quelques traces. Des colonnes de maçonnerie y sont engagées. L'ensemble est voûté d'arêtes sauf la travée orientale très modifiée. Du côté cour, la retombée des doubleaux se fait par un simple encorbellement de maçonnerie encadré de deux arcatures, supporté par un corps de maçonnerie orné de colonnes à chapiteaux de feuillage.

La galerie Nord a été dernièrement restaurée par les Monuments Historiques.

11 LOGIS ABBATIAL. *LA DISCIPLINE S'ÉTANT RELÂCHÉE, LES dignitaires se mirent à vivre à l'écart de la communauté. Il ne reste rien du « beau logis abbatial » que l'abbé Hugues de Fitigny fit bâtir « du côté du couchant », en face des grandes caves. Mais l'on peut voir au levant celui que son successeur « le bon* abbé » Jean de Toulongeon fit construire à la fin du XVe siècle. Derrière la façade assez défigurée par des transformations, mais conservant quelques fenêtres à meneaux et en accolade, on trouve encore une grande salle plafonnée à la française, avec gueules de crocodiles sculptées en bout de poutres comme dans la maison du Bailli de Louhans.

12 PRIEURÉ. LE PRIEURÉ, OU LOGIS DU GRAND PRIEUR, EST LA TOUR située au Sud du cloître, contre le mur oriental du réfectoire.

13 MAISONS CANONIALES. *PARMI LES MAISONS CANONIALES, LA tour et la maison du trésorier ne manquent pas d'allure bien que leurs ouvertures aient été souvent modifiées. On aimerait voir aux fenêtres de petits carreaux aux anciennes dimensions.*

14 CHAPELLE SAINT-EUTROPE. LA CHAPELLE SAINT-EUTROPE QUI fut chapelle particulière des abbés au XVIIe siècle est cette maison de bonnes proportions (n'était l'escalier et le mur dont on l'a affublée au XIXe s.) au milieu de laquelle se voit encore l'arc de la porte.

15 L'ÉGLISE. CRYPTE. *LA CRYPTE, AVEC LES CHAPELLES QUI LA composent* — dont on examine les murs au chevet, avec leur appareil assez fruste, où sont utilisés des matériaux de tout venant, y compris des fragments appartenant à diverses constructions antérieures — est remarquable dans son plan. Celui-ci dispose, autour d'une cella centrale aux voûtes soutenues de fines colonnettes, un déambulatoire aux murs épais, grossièrement maçonnés (mais cette grossièreté est belle et ne manque pas d'allure), et deux groupes de petites chapelles : les unes (3) rayonnantes et les autres (4) orientées. Ces sept chapelles formant un tout homogène quelque peu bouleversé çà et là par les remaniements postérieurs. Au fond de la cella se trouve un puits. Parmi les colonnes, les deux premières à l'orient, et les deux dernières à l'occident, sont des remplois de monuments romains (les deux petites ont été coupées). Les chapiteaux ont été presque tous refaits par Questel. L'autel de la chapelle centrale est dédié à saint Valérien.

16 NARTHEX. NOUS PÉNÉTRONS DANS LE NARTHEX SOIT PAR LE mauvais portail central de Questel, soit par la petite porte du côté Sud. C'est une petite église rectangulaire de trois travées, voûtée d'arêtes au centre et en berceaux transversaux sur les côtés. Quatre gros piliers soutiennent les voûtes sur lesquelles repose l'étage supérieur appelé tribune Saint-Michel. Sur les côtés il y a des piliers engagés. L'ensemble de la maçonnerie, à part quelques morceaux de murs plus anciens, est en appareil moyen très régulier, de moellons ressemblant à de grosses briques. Une corniche double de ces moellons forme

tailloir au sommet de la colonne. La base, invisible par suite de la surélévation du sol, débordait quelque peu. On pourra tenir compte de cette élévation du niveau actuel dans l'impression d'écrasement que certains ressentent ici. En réalité cette construction robuste ne manquait pas de technique. La nef bâtie dans le même esprit quelque temps après, montre proportionnellement moins d'audace.

Dans le mur méridional un bassin-bénitier devrait permettre, avec la suppression des portes de placard qui l'enferment, l'enlèvement des bénitiers coquilles, tardivement insérés à l'entrée et dans la première pile. Dans les voûtes on remarque quelques traces de peintures, en particulier un Christ de majesté entouré de deux anges. La travée proche du collatéral Nord est ornée des damiers de la famille des Digoine, de rinceaux et des traces d'une crucifixion.

17 SÉPULTURES. *OUTRE UNE SÉRIE DE BEAUX SARCOPHAGES DE grès certainement antérieurs au Xe siècle, mais que la prudence empêche de dater plus précisément, l'abbaye renferme un grand nombre de pierres tombales. La plupart utilisées dans le dallage ont été en partie effacées par les pas des fidèles. Certaines mériteraient d'être relevées. Les plus intéressantes sont situées dans le narthex et dans la première travée de la nef et des bas-côtés.*

18 CHAPELLES GOTHIQUES. *LE LONG DU COLLATÉRAL NORD,* trois chapelles gothiques modifient l'ordonnance primitive. La première et la plus grande, située sur la troisième travée, est l'ancienne chapelle Saint-Georges, de Geoffroy de Berzé. Elle était entièrement décorée de fresques dont on voit encore des traces : au levant un chevalier qui peut être le seigneur donateur, au couchant le jugement dernier, assez faible. Les meilleurs morceaux sont au Midi le long de l'arc d'entrée : c'est la représentation des apôtres. La seconde chapelle (4e travée) est l'ancienne chapelle Saint-Blaise, de Barthélemy de Monteil et Nicole de Montcenis. La troisième (5e travée) est celle de l'abbé de La Palu, dédiée à Notre-Dame de Consolation.

19 TRANSEPT. *LE CROISILLON NORD DU TRANSEPT, OÙ SE trouve la chapelle Saint-Ardain, a sa voûte en berceau brisé plus élevée que celle du croisillon Sud. Cela provient sans doute d'une modification : le plan primitif devait être celui d'une église à transept bas. Dans le croisillon Sud le passage du bas-côté a été aménagé en grande arcade au début du XIIe siècle, probablement sous l'abbé Francon du Rouzay (cf. inscription sur la base de la colonne Sud de l'arcade). Le chapiteau à groins et têtes humaines est d'un type assez évolué sur un thème classique du XIIe. Par contre on trouve au pilastre d'angle du transept et du déambulatoire une pierre d'aspect* *ancien portant la représentation de l'âne et du loup, selon une légende de Pavilly-Jumièges.*

20 LANTERNE DE LA CROISÉE. LA LANTERNE DE LA CROISÉE, qui « n'est pas une banale coupole sur trompes » remarque M. Charles Oursel, mais une construction d'arcs, vaut plus par son originalité de structure que par son riche décor. Cette partie attribuée à Pierre 1er, au second tiers du xie siècle, serait antérieure quelque peu à la nef. Le dernier arc de la nef, vient en effet masquer l'ouverture ménagée sur le côté occidental de la lanterne.

Toute cette partie est encore enduite et empâtée de blanc d'un assez fâcheux effet.

21 CHŒUR. LE CHŒUR DE L'AB-BAYE DE TOURNUS EST MAL-*heureusement loin de la beauté du reste de l'édifice. Il était tombé en piteux état et dut être restauré au xixe siècle. Triste époque. La colonnade du chœur avec ses mauvais chapiteaux termine mal la nef et les bas-côtés. Sur le côté extérieur du déambulatoire on trouve cependant encore une série d'anciens chapiteaux à feuillage de la même allure primitive que ceux du cloître Saint-Ardain. Quelques-uns, près de la sacristie, comme à la crypte, sont des restitutions. Les chapelles rayonnantes, plus encore que le chœur, sont remplies de médiocre mobilier, ce qui n'est pas pour mettre cette partie de l'édifice en valeur. Il manque encore au chœur un autel convenable.*

22 NEF. LA NEF DE SAINT-PHILI-BERT DE TOURNUS EST JUSTE-ment célèbre par l'originalité de sa conception comme par l'harmonie de ses proportions. Les hauts piliers cylindriques en moyen appareil supportent des arcs à claveaux alternés roses et blancs, portant de petits murs diaphragmes sur lesquels reposent les berceaux transversaux d'une voûte fermée à la manière d'un pont perpendiculairement à l'axe de la nef. Cette technique très ingénieuse et très sûre pour l'équilibre n'a pourtant pas été suivie et Tournus avec l'église voisine de Mont-Saint-Vincent est resté un prototype.

Les colonnettes engagées à chapiteau simplement épanelé qui font la jonction entre l'arc et la pile sont diversement appréciées. Quelques-uns les jugent disproportionnées par rapport à celle-ci. On peut penser, en effet, que la simple prolongation de l'arc eut été aussi heureuse, mais la différence de hauteur entre la nef principale et les bas-côtés a sans doute incité l'architecte à ne pas faire reposer les grands arcs directement sur le tailloir des piliers. La solution adoptée, sans être parfaite, est tout de même valable, surtout si l'on regarde la voûte dans sa partie haute en se mettant en face des colonnettes, bien proportionnées aux grandes arcades.

En revenant dans les bas-côtés vers le narthex, on goûtera l'admirable perspective des piles fortes et élancées, des voûtes d'arêtes sur doubleaux de teinte chaude, se terminant sur ces murs exceptionnels du narthex.

23 NOTRE-DAME LA BRUNE. DANS LE COLLATÉRAL SUD, A LA *quatrième travée, près de la porte ouvrant sur le cloître, on remarquera la niche de Notre-Dame la Brune, avec la « fresque de Fitigny » (xve s.).*

Les peintures représentent le Christ bénissant ayant Marie à sa droite.

Mais la statue de bois est autrement intéressante. C'est une statue reliquaire du xiie siècle provenant probablement d'un atelier auvergnat de Saint-Pourçain-sur-Sioule. La beauté de la tête de la Vierge et la similitude de facture pourraient nous faire poser l'hypothèse d'une parenté d'atelier avec celle que l'on vénère à Marsat (Puy-de-Dôme). Il y a certainement un rapport entre ces deux chefs-d'œuvre. La statue a été redorée et repeinte au xixe siècle. Malgré ce fard, la majesté, la douceur, la pureté et l'harmonie des lignes, nous font voir en Notre-Dame la Brune l'un des plus beaux visages de Notre-Dame. Nous sommes heureux de trouver ici l'accord de l'esthétique et de la piété profonde du peuple chrétien qui vénère depuis de nombreux siècles cette statue de la Mère de Dieu.

24 GRAND ORGUE. LE GRAND OR-GUE (1629), MAINTENANT MUET, serait lui-même intéressant... mais nous aimerions bien le voir ailleurs, et le petit serait avantageusement remplacé par un instrument électronique moins encombrant.

25 ÉTAGE DU NARTHEX. L'ÉTAGE DU NARTHEX OU TRIBUNE *Saint-Michel est l'une des pièces les plus attachantes de l'architecture de Tournus. L'accès médiocre de nos jours, par le côté Sud, nous fait regretter l'ancien et noble accès par les collatéraux. Comme au narthex, quatre piliers soutiennent les voûtes. Mais ici, nous avons latéralement des voûtes en arc de cercle et au centre, un cerceau audacieusement élevé bien au-dessus de ce qu'il était légitime d'attendre. Des tirants de fer et bois ont été disposés par prudence à l'Est, où les tours ne viennent pas appuyer les murs. De nombreuses petites fenêtres ébrasées et les fenêtres assez grandes des parties hautes de la nef donnent une lumière abondante. On pourra remarquer que les doubleaux de la nef descendent en pilastre jusqu'au tailloir du pilier et que la voûte est séparée du mur par une ligne de moellons en encorbellement. Nous admirons ces murs à l'intérieur comme à l'extérieur, en particulier l'intérieur de la tour Sud avec sa claire-voie sur la nef, ouvrée de colonne et chapiteau d'une rare élégance. La nef de la tribune ouvrait sur la grande nef de l'église par un arc triomphal et une baie. L'arc repose sur des colonnettes surmontées de chapiteaux célèbres.*

(suite à la page 69)

TABLE DES PLANCHES

13

14

15

DIMENSIONS

DIMENSIONS EXTÉRIEURES DE L'ÉGLISE

Longueur totale : 78 m.
Largeur de la façade : 16 m 60.
Largeur totale maxima : 34 m.
Largeur du transept : 29 m.
Hauteur totale du gros clocher jusqu'au sommet de la croix, à l'Est : 57 m; à l'Ouest : 52 m.
Largeur du gros clocher : 8 m 50.
Hauteur totale du petit clocher à l'Est : 50 m.
Hauteur de la maçonnerie des deux clochers : 33 m.
Hauteur de la tour méridionale de façade : 25 m.
Hauteur de la toiture de la grande nef : 20 m 50 et 21 m.

DIMENSIONS INTÉRIEURES DE L'ÉGLISE

Longueur : 76 m 80.
Largeur du narthex : 13 m 80; longueur : 19 m.
Largeur du grand vaisseau : 18 m 75.
Largeur du transept : 26 m 50.
Hauteur de la coupole (sous voûte) : 20 m.
Hauteur de la grande nef (sous voûte) : 18 m.
Hauteur du sanctuaire (sous voûte) : 13 m.
Hauteur du narthex (sous voûte) : 7 m 40 (au lieu de 8 m).
Hauteur de la tribune Saint-Michel (sous voûte) : 12 m 50.
Hauteur de la crypte (sous voûte) : 3 m 65.

DIMENSIONS DE DÉTAIL

(4) Piliers du narthex, hauteur : environ 4 m;
circonférence à la base : 4 m 80 environ, au
sommet : 4 m 60.

(10) Piliers de la nef, hauteur : environ 9 m 35;
circonférence à la base : 4 m 20.

(4) Piliers de l'étage du narthex, hauteur : 2 m 50;
circonférence à la base : 4 m 35.

Nombre des ouvertures, nef : environ 160;
Saint-Michel : 53.

Nombre des pierres tombales : environ 70 (du XIIe au
XVIIe s.) plusieurs sarcophages antérieurs au Xe s.

CRYPTE

Intérieur

Longueur : 11 m 80.
Largeur : 5 m 65.
Huit colonnes, hauteur : environ 2 m.
Puits d'une dizaine de mètres de profondeur, lar-
geur : 0 m 90.

MONASTÈRE

Chauffoir

Longueur : environ 10 m 50.
Largeur : environ 6 m 50.
Hauteur sous clef : 7 m.

Cloître, partie Nord

Longueur : 25 m 60.
Largeur : 4 m et 4 m 55.
Hauteur sous voûte : 4 m 80 à 5 m.

Salle capitulaire

Longueur : 16 m 20.
Largeur : 12 m.

Réfectoire (dit « Ballon »)

Longueur : 33 m 85.
Largeur : 10 m 18.
Hauteur : 11 m 60.

Grandes caves

Longueur : 30 m 53.
Largeur : 10 m 70.
Hauteur : 11 m 60.

A droite de l'arc on trouve aussi l'inscription de Gerlannus que l'on suppose être l'indication du nom du maître d'œuvre, mais qui n'a pas été expliquée entièrement. Les chapiteaux inférieurs sont à feuillage comme ceux du cloître. Ces sculptures qui les surmontent représentent : l'une un masque, l'autre un personnage bénissant. La facture de ces sculptures, réputées barbares, témoigne d'un sens artistique très sûr.

Le formidable réalisme de l'expression et la simplicité de l'exécution sont pleins d'intérêt.

26 *CLOCHERS.* SI L'ON PASSE PAR LA GALERIE SITUÉE ENTRE LES deux tours de façade, on pourra profiter de la vue qui fait apercevoir comme à vol d'oiseau l'ensemble du monastère. On pourra voir aussi de près l'extérieur des clochers. Le petit clocher rose avec sa ligne d'arcatures sur pilastres cannelés et ses deux étages soigneusement ornés de colonnettes, de pilastres sculptés en zigzags et de statues colonnes. Plus que les deux statues cariatides situées à la retombée des arcs du premier étage, les deux statues des angles Sud-Ouest et Nord-Est méritent examen. Elles représentent deux personnages couronnés, roi ou reine. Nous n'osons préciser. Le clocher central, plus tardif, plus décoré d'une manière méthodique de nombreux éléments de décoration devenus classiques. Mais l'ensemble est froid et un peu mort. L'art roman est ici à bout de souffle (milieu du XIIe siècle).

27 ORNEMENTATION. *AINSI, DEPUIS LE CLOITRE JUSQU'AU CLOcher, depuis l'arc de Gerlannus jusqu'à la croisée du transept, en plus de l'essentielle architecture qui suffirait à la renommée de Tournus, nous avons rencontré un certain nombre d'éléments de décoration de styles très divers. On peut les répartir entre plusieurs groupes.*

Il y a d'une part les fameuses sculptures de l'arc triomphal de l'étage du narthex et les feuillages stylisés des chapiteaux du cloître dans sa partie Nord, avec quelques chapiteaux du déambulatoire : ensemble original de haut intérêt.

D'autre part les chapiteaux de la croisée et de la région du transept : démons et damnés, péchés de la langue, diables, masques, feuillages, etc., dans la tradition de la fin du XIe siècle. Avec une ou deux pièces plus récentes et plus évoluées, çà et là (cf. arcade du collatéral Sud).

En outre, un témoin isolé dans l'angle Sud-Ouest du cloître — mais qui n'est pas si unique que cela au point de vue du style, puisqu'un chapiteau (provenant du clocher?) représentant Daniel dans la fosse aux lions est du même ordre — représente l'art du douzième siècle dans toute sa perfection technique. Cette pièce trouvée dans la cour et installée ici, représente à la face Sud, le Christ entouré de ses apôtres. Saint Pierre tenant les clés est facilement identifiable. La face voisine continue cette scène de collège apostolique. On remarque l'ordonnance, les plis des vêtements, l'ornementation variée des auréoles, la finesse d'exécution. Les personnages, de gauche à droite, se tournent vers la face Nord et la préparent. Cette face Nord, qui a malheureusement beaucoup souffert, représentait l'entrée de Jésus à Jérusalem (évangile de la fête des Rameaux : dom. in Palmis : cf. le palmier bien visible). Enfin la dernière face, côté occidental, représente une scène de résurrection. Est-ce la résurrection de Lazare ou celle du Christ? Il est bien difficile de se prononcer, mais c'est l'une ou l'autre. Cette pièce, comme celle de Daniel et comme les statues colonnes des angles du clocher Nord sont de très belle venue et témoignent d'un art consommé.

C'est la preuve que les sculpteurs de Tournus furent dignes des architectes et des maçons. Et certainement des peintres aussi. Il ne reste pas grand'chose de la peinture qui devait orner la plupart des grandes surfaces de l'abbaye. Il ne reste que peu de témoins de la sculpture tournusienne qui avait été distribuée dans l'abbaye avec une relative parcimonie. Mais ils méritent mention.

Quant à l'ornementation architectonique due au maître d'œuvre et au maçon, elle se caractérise par les éléments déjà cités : bandes et arcatures lombardes, dents de scie et dents d'engrenage, corniches et encorbellements simples, claveaux de couleur alternée, marqueterie en échiquier de l'extérieur de l'abside. Enfin, nous savons que le dallage était ornemental par les restes du pavage du déambulatoire où étaient vernis les signes du zodiaque.

Le temps a donc effacé et détruit une grande partie de l'ornementation de l'ancienne église. Mais c'est au profit de la simplicité, de la rigueur et de la plus profonde beauté de la structure de l'édifice. Nous avons certes perdu des peintures, mais nous avons gagné les couleurs chaudes et la sincérité de la maçonnerie en moyen appareil. Nous avons perdu des détails, mais l'ensemble se dégage dans une beauté plus nette, plus pure, plus éclatante. Après les aménagements qui s'imposent encore dans certaines parties, l'église Saint-Philibert pourrait bien n'avoir jamais été si belle.

PARAY-LE-MONIAL

« Si la Bourbince portot batiaux
Paris n'voudrot Paray l'moniau... »

A la mémoire de l'Abbé J. Décréau.

ENTRE *Mâcon et Moulins, Paray-le-Monial, capitale du Sacré-Cœur.*
C'est ici qu'Il est apparu à saint Marguerite-Marie, dans la chapelle de la Visitation. C'est ici qu'Il s'est plaint, qu'Il a quémandé notre amour, supplié notre inconstance, stigmatisé notre ingratitude.
Comme à Gethsémani.
Il a choisi ce lieu. Il aurait pu en choisir d'autres. Et, certes, l'on ne saurait prétendre deviner les raisons du libre choix divin.
Mais enfin, lorsque l'on contemple le chevet de la basilique romane, cette admirable réduction de Cluny, lorsque l'on pénètre dans son sanctuaire, là, à deux pas, on croit comprendre. Tant les rapports d'intériorité sont grands entre les Lumières du Sacré-Cœur et celles de Son antique basilique...

LA BASILIQUE ET SES LUMIÈRES

Point n'est besoin d'avoir longuement fréquenté la basilique. Au premier contact, l'impression s'impose : Paray est avant tout lumière. Et cette impression ne fera que s'accroître par la suite, à mesure qu'il sera donné de mieux connaître le monde secret de la basilique.

Mais cette lumière n'est point seulement lumière. Ou plus exactement cette lumière, matérielle à son départ : faite de jeux de soleil sur des pierres déjà chantantes par elles-mêmes (ces pierres d'une tonalité chaude, tendres à voir comme de la terre), cette lumière n'est que prétexte, que symbole. Car l'architecte n'a point seulement voulu dispenser un heureux éclairage aux usagers du lieu. Il a voulu voir plus loin et plus haut, et, derrière cette lumière, nous en faire deviner une autre, insaisissable celle-là, parce qu' « inaccessible ». « Les lumières matérielles, disait Denys, signifient cette effusion de lumière immatérielle dont elles sont les images » (De Cœlest. Hierarch. c. 1 par. 3, 121 D).

Dieu est Lumière. En Lui, rien d'obscur... « Et in lumine tuo, videbimus Lumen » : et dans ta lumière nous verrons la Lumière. Nous ne saurions mieux chercher la vraie splendeur de Paray qu'en l'admirable entente de « ses » lumières.

Que l'architecte de la basilique ait eu des intentions symboliques, rien de plus certain. Il suffit de songer à sa complaisance envers les nombres parfaits : 3, 7, 9, qu'il s'agisse des verrières, des piliers (du chœur ou de la nef) ou des partis de construction. Un pilier de la croisée du transept, vu de haut, livre son parti ternaire avec évidence (pl. 21), tout comme, du reste, la succession des ouvertures (pl. 25 et 27) ou le principe, clunisien, de l'identité absolue des murs de la nef : postérieur et latéraux, avec ceux des transepts (pl. 22, 23, 24, 27 et 28). Mais ce symbolisme, pour évident qu'il soit, reste un symbolisme extérieur, si l'on veut. Il n'a point, nous semble-t-il, l'intérêt — surtout la puissance — du parti d'éclairage, qui reste, à notre avis, l'une des plus belles réussites de la basilique de Paray. Et des plus parlantes.

On sait quelle importance la Lumière peut jouer dans la Bible et dans la vie chrétienne. Il n'est, pour s'en convaincre, que d'ouvrir Saint Jean ou de suivre quelque peu le vaste développement de la Liturgie, de Noël à Pâques — ces Lumières dans la Nuit — ou du baptême à la messe des morts. « Lux, Lumen », ces mots sont des mots-clefs de la vie chrétienne. Et il aurait fallu que les architectes fussent bien peu au clair sur les vérités de leur foi — ou du moins bien insensibles à leur éclat — pour ne pas tenter de traduire ce mystère de la Lumière dans la structure de leurs églises.

Ils s'y sont employés longtemps. Mais alors qu'ils ont, pour finir, pris la chose à la lettre, ils l'avaient, jusqu'alors, envisagée dans son esprit. C'est pourquoi, avant d'identifier lumière intérieure et lumière extérieure, ils en étaient venus à signifier la « Lumière » (entendons bien : la « Lumière ») au moyen de — sinon la ténèbre, l'absolue ténèbre — du moins la ténèbre relative, c'est-à-dire l'obscurité.

Ceci peut donner à sourire. Mais bien à tort. La vocation chrétienne, saint Pierre le dit clairement, est un appel de Dieu, jetant l'homme enténébré dans son admirable Lumière, « De tenebris vos vocavit in admirabile Lumen suum » (I Petr., II, 9). Mais cette Lumière, saint Paul l'ajoute, est spirituelle, transcendante, ineffable, et, pour tout dire, « inaccessible » : « Lucem inhabitat inaccessibilem » (I Tim., VI, 16). Il s'agit donc à la fois d'orienter l'esprit vers la Lumière, tout en évitant de l'égarer dans quelque fausse interprétation de cette Lumière, non point sensible à l'œil, mais à l'âme. Pas même au cœur, mais à la fibre la plus intime de notre esprit.

C'est pourquoi les architectes de l'âge roman ont joué, non pas tant sur la lumière que sur la luminosité. Ils ont, pour imposer cette impression de Lumière transcendante, opposé cette lumière au poids des ombres, et réalisé cette espèce de savante obscurité qui n'est point tant ténébreuse que lumineuse, si l'on veut bien se référer à ce mot de Salomon venant d'achever son Temple, texte qu'aucun de ces architectes-là ne devait ignorer : « Yahweh aime habiter dans l'obscurité » (I Reg., VIII, 12). Dieu, dit Denys, « n'est ni ténèbres, ni lumière... De lui on ne peut absolument rien affirmer ni rien nier » (Theol. myst., c. 5 in fine).

Que l'on y réfléchisse bien. Il y a, si l'on y songe, équivalence entre lumière, pour l'œil, et son, pour l'oreille, à tel point qu'un excès de lumière rejoint, psychologiquement parlant, un excès de son. Ou, si l'on veut, qu'il est assez semblable d'entendre du vacarme ou de voir une orgie de couleurs chatoyantes. (Cf. saint Augustin : *De Musica*, l. 6, c. 13, par. 38.)

Pour libérer l'âme, lui assurer son élan vers Dieu (ce qui, le catéchisme nous l'enseigne, est la définition même de la prière, et « ma maison », dit le Christ, « est appelée maison de prière » (Mat.,XXI, 13, reprenant Is., LVI, 7), il sera particulièrement nécessaire d'imposer un certain repos aux sens, de les mettre, pour ainsi dire, en veilleuse. D'où l'on peut voir la nécessité de rechercher un certain silence, une certaine obscurité. La lumière extérieure excite les sens et plonge l'âme, par contrecoup dans « les ténèbres extérieures », tandis que l'obscurité extérieure calme les sens et libère l'âme, lui donnant d'exercer toute la faible attention humaine à son profit, c'est-à-dire à la recherche de la Lumière, profondément et uniquement intérieure. L'expérience donne aisément raison à cet apparent paradoxe. « Puissions-nous pénétrer nous aussi dans cette Ténèbre plus lumineuse que la Lumière, et renonçant à toute connaissance, puissions-nous ainsi voir et connaître qu'on ne peut ni voir ni connaître Celui qui est au-delà de toute vision et de toute connaissance... » dit Denys (Theol. myst., c. 2 1025 B).

Ceci, pensera-t-on, nous mène bien loin de Paray et de sa basilique! Point du tout. Il est assez significatif — et nous voyons là, pour notre part, l'une des caractéristiques fondamentales de Paray — que l'architecte ait pris soin de ménager une zone de silence autour du chœur, créé à l'entour du Sanctuaire une sorte de barrière d'obscurité, par le simple déploiement du déambulatoire (pl. 29, 30, 31, 33). « Yahweh aime habiter dans l'obscurité ». Tout Paray est là, dans ce chœur, ce chœur énorme (il suffit de consulter un plan pour s'en convaincre) et nulle part le jeu des ombres n'est à tel point réglé qu'en cet endroit de l'édifice. On peut imaginer que les gens de ce temps-là prenaient à la lettre l'annonce de l'ange à Notre-Dame : l'Esprit-Saint viendra sur vous et la Puissance du Très-Haut vous couvrira de son ombre. « Obumbrabit tibi » (Lc, I, 35). N'y a-t-il pas du reste étroite relation entre ce « tabernacle du Dieu vivant parmi les hommes » (Apoc., XXI, 3) qu'est l'église, et singulièrement le sanctuaire, et cet autre « tabernacle du Dieu vivant parmi les hommes » qu'a été et que demeure Notre-Dame, celle qui « méditait et conservait tout en son Cœur » ? (Lc, II, 19 et II, 51).

Il suffit de regarder attentivement le chœur de Paray, d'y demeurer quelques instants, *silencieux,* en contact avec cette masse d'ombre lumineuse, pour comprendre aisément ce que nous venons — à grand'peine — d'expliquer. Qu'on ne s'abuse point là-dessus : l'architecte de Paray n'a pas seulement voulu faire de l'esthétique. S'il y a visé — et jusqu'à quel point exactement ? — c'est secondairement. Il était encore d'une époque où l'on exigeait des temples autre chose que d'émouvoir les sens affinés d'une élite cultivée. Alors, point de touristes, mais des pèlerins. En outre, il travaillait pour des moines, c'est-à-dire avant tout pour des contemplatifs. (Ces moines-là étaient clunisiens.) Et sans doute était-il moine lui-même. Ce n'est donc point folie ou présomption que d'aller chercher des raisons profondes à la répartition de ses lumières. N'était-ce point un saint abbé de Cluny — et qui plus est celui-là même qui fit construire la basilique de Paray — ce saint Hugues dont on nous rapporte qu'il aimait à saluer par de vifs soupirs la lumière du cierge pascal, voyant en cette lumière la Lumière, dispensatrice unique de la félicité dernière ? « Cum in die Magni Sabbati, beatus Hugo sacris interesset, columnam novæ lucis salutabat crebis exorans suspiriis, ut ad terram promissionis feliciter perveniret... » (antienne de la fête du saint). Il nous semble que l'on aurait grand tort de ne point tirer de ce fait toutes les conséquences qu'il implique.

Et toutefois, on pourrait le noter : déjà la complaisance dans le jeu des lumières se révèle trop manifeste pour que l'on ne puisse présager ces âges, désormais prochains, où l'on croira pouvoir — non sans apparente « raison » — équiparer Lumière spirituelle et modestes flamboiements de notre pauvre lumière.

Que l'on quitte un instant la nef pour aller au chœur, et que, parvenu là, d'un coup, l'on se retourne... Le gothique n'est plus loin. La lumière chante à merveille. Chantera-t-elle jamais mieux du reste ? Seulement le roman n'a mis sa lumière que dans la nef, tandis que le gothique l'aurait menée au chœur. Et c'est pourquoi Paray est encore, dans tous ses détails, œuvre de contemplatifs, bien que l'on perçoive déjà comme une subtile tentation de s'éprendre de la lumière, et non plus de la Lumière... Alors qu'il faut, dit Denys, « nous élever par un total dépouillement, afin de voir ainsi *cette Ténèbre sures-sentielle que dissimule toute lumière contenue dans les êtres* » (Theol. myst., c. 2, 1025 C).

« Lumières de Paray ». Certes! Il y a plus d'une lumière à Paray et la plus importante n'est peut-être pas celle qu'on pense. Ce n'est pas seulement cette gerbe de rayons solaires éclaboussant des murs déjà chantants par nature. Ce n'est pas non plus cette étonnante science de fenestrages qui permet, avec une surface relativement restreinte d'ouvertures, de répartir une énorme masse de foyers lumineux. C'est le maniement même de cette lumière — et des ombres qui la précisent — en vue de diriger l'esprit vers une autre lumière, vers la Lumière.

Qu'on imagine Hugues, le saint abbé de Cluny, en prière dans sa basilique de Paray. Qu'on l'imagine un instant en train d'apprécier cette admirable archi-tecture, cet étourdissant et impeccable édifice. Est-ce vraiment inventer que de parler alors de « Lumière » et non point seulement de lumière ?

La plus belle leçon de Paray est là, nous semble-t-il. C'est elle qui nous a guidés dans le choix des repro-ductions ici groupées. Si l'on songe que plus de trois cents photos ont été prises spécialement à ce dessein, et qu'il nous a fallu choisir les quelques planches entre une centaine de tirages, on pourra comprendre sans doute le sérieux de notre choix. Nous avons voulu ne point trahir l'œuvre, mais surtout et plus encore, *l'esprit de l'œuvre*. « Et in lumine tuo videbimus Lumen... » (Ps. 35, 10).

C'est pourquoi nous avons jeté d'emblée le lecteur dans l'édifice. Nous l'avons acheminé par la nef (pl. 22 à 26) et le transept (pl. 27 et 28), au chœur (pl. 29 et 30), en réglant progressivement l'éclairage. Puis nous avons parcouru avec lui le déambulatoire (pl. 31 à 33), avant que de lui donner quelqu'idée des parties sculptées (pl. 32, 34, 37), des portails laté-raux (pl. 35, 38 et 39), des extérieurs (pl. 36, 40, 41 et pl. couleurs).

Nous avons, dans notre choix, jugé en moines une architecture monastique. N'était-ce point sagesse ? n'était-ce pas respecter tout ensemble l'édifice et ceux qui l'avaient conçu ?

Que l'on veuille bien demeurer quelques minutes seul, en silence, devant notre planche 28 ou notre planche 30... Si, sans aucun parti pris, l'on n'éprouve pas leur intense pouvoir, leur fascinante aptitude à mener l'âme jusqu'à la vraie et nue contemplation, qu'alors, mais alors seulement, l'on s'aventure à nous lancer la première pierre...

L'Atelier du Cœur-Meurtry

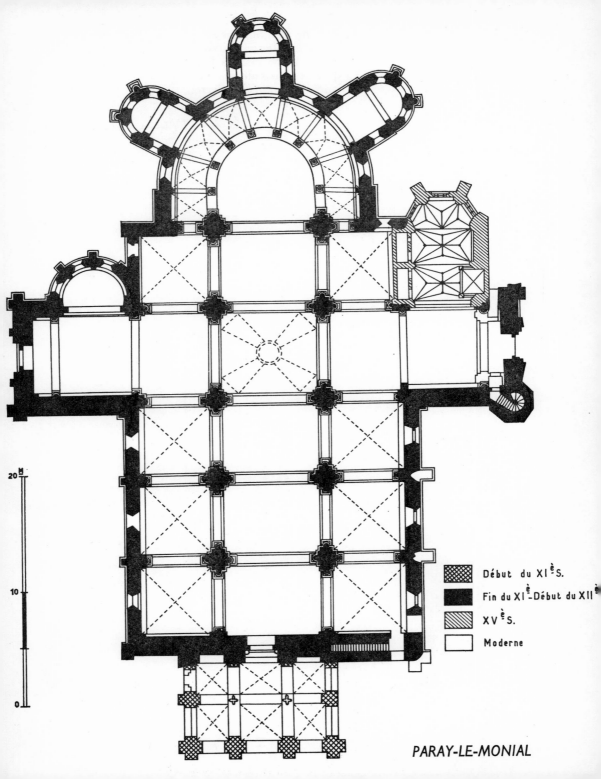

20 M

10

0

Début du XIᵉ S.

Fin du XIᵉ - Début du XII

XVᵉ S.

Moderne

PARAY-LE-MONIAL

PARAY-LE-MONIAL

COMME SON NOM L'INDIQUE
se caractérisait par la présence des moines qui, s'ils n'ont
point fondé la ville, lui ont donné son importance.

A l'époque, il s'agissait des religieux de l'ordre de
saint Benoît bientôt rattachés à Cluny.

Aujourd'hui, il n'y a plus de bénédictins à Paray, mais
la ville mérite toujours son nom ; cela, non seulement
dans le souvenir laissé par les moines noirs ou dans le
splendide monument qu'ils édifièrent pour prier Dieu,
mais par suite de la continuité de la vie monastique et
de l'esprit de prière assuré par les nombreuses commu-
nautés religieuses établies sur son sol.

Qu'on veuille bien nous excuser de préciser.

Le moine, plus encore que le prêtre, est l'homme de
la prière. Et le moine clunisien plus que tout autre moine.

L'office liturgique, la prière, le saint sacrifice de la
messe, le chant des psaumes, les processions et cérémonies
prennent la plupart de son temps : est-il plus noble
occupation que la louange de Dieu et le contact avec le
Souverain Maître ? Comment lui reprocher d'anticiper
sur le Paradis ? Le moine cherche vraiment Dieu. Pour
cela il prend soin de quitter le monde et ses soucis. Il
donne à Dieu sa vie entière. Il cherche Dieu dans le
silence et l'humilité, l'obéissance et la pénitence, la
chasteté et la pauvreté. Il se consume pour Dieu. Qu'y
pouvons-nous si Dieu, de surcroît, lui donne le rayon-
nement de sa Lumière ? S'il est fidèle à sa vocation, il
brille, de la clarté des chrétiens qui sont la lumière du
monde. S'il brille, ce n'est pas de sa faute... c'est qu'il
est chrétien et homme de Dieu. C'est que Dieu brille en
lui. « SI RE VERA DEUM QUAERIT » (Docu-
ments B et C).

TABLE DES PLANCHES

82

24

25

31

32

34

35

38   39

DIMENSIONS

Longueur totale : 63 m 50.
Longueur de la nef : 22 m.
Longueur du transept : 40 m 50.
Longueur du chœur : 25 m.
Largeur totale : 22 m 35.
Largeur de la nef : 9 m 25.
Largeur des bas-côtés : 6 m 55.
Hauteur de la nef : 22 m.
Hauteur du sommet de la flèche au sol : 56 m.
Hauteur de la coupole : 25 m 50.
Hauteur de la voûte du sanctuaire : 19 m.
Hauteur des voûtes des bas-côtés : 11 m 55.
Hauteur des voûtes du déambulatoire : 9 m 60.
Hauteur des colonnes du chœur-déambulatoire : 5 m 20.
Diamètre de ces colonnes : 0 m 42.
Largeur du déambulatoire : 3 m 20.
Largeur des chapelles de l'abside : 3 m 35.
Largeur de la chapelle Nord du transept : 5 m 25.
Profondeur de cette chapelle : 4 m 95.
Largeur du portail Nord : 4 m 70.
Largeur des piliers à la base : de 2 m 30 à 2 m 50 (variable).
Circonférence des piliers : environ 6 m 70 (variable).
Distance d'un pilier à l'autre : environ 4 m 50 (variable).

VISITE DE LA BASILIQUE

On vient à Paray en pèlerinage. Cela n'exclut point une visite.

Le pèlerin qui descend la rue de la Visitation découvre tout à coup le croisillon Nord, la forte tour et la région absidale de la Basilique. Il est tout naturellement attiré par cette porte « de palais oriental » qui s'ouvre en face de lui (1).

Nous ne saurions trop conseiller de faire d'abord un tour dans le parc des Chapelains afin d'avoir une vue sur l'étagement bien clunisien des chapelles rayonnantes avec leurs absides, leurs pignons, puis de l'abside principale et du pignon avec le clocher bien planté sur la croisée. Tout dépend du moment et de l'heure, du temps dont on dispose. Mais qui ne s'est promené là seul, ne connaît point l'atmosphère de Paray qui est de silence et de lumière, déjà hors du grand vaisseau.

En effet, Paray, c'est le « Val d'Or » que l'on dominait de la colline du premier monastère. Paray, c'est la tranquillité des moines. Certes, ce n'est pas le désert où se cachent les ermites, mais si l'ordre de Cluny établissait ses couvents à proximité des zones de relations humaines, il ménageait cependant comme il se doit, un espace de recueillement. Les personnes qui arrivent de l'Ouest, du quartier moderne de la gare, en apercevant l'ensemble de tours et la perspective générale de l'édifice sentent bien qu'il est inclus dans un paysage. La ville est venue auprès du monastère, l'a absorbé jusqu'à lui prendre son église, mais celle-ci reste plongée dans un cadre de verdure qui lui conserve son caractère monastique. Cela se voit de tous côtés, même de cet îlot de la rivière d'où le flâneur aperçoit la Basilique cernée des bâtiments relativement récents du prieuré.

Venant le long de cette promenade où stationnent les autos et où parfois s'animent les joueurs de boules, on pourra se placer dans l'axe du porche occidental, en face des deux tours. Il faut ici remarquer comment le pignon de la nef se trouve décalé sur la droite par suite de la différence, encore étonnante à l'entrée dans l'église, entre les axes du narthex et de la nef.

De même la différence d'aspect, de style et d'esprit des deux tours de façade (2) apparaîtra : l'une étant du XIe siècle, au Sud, à droite, l'autre du XIIe, au Nord à gauche. Certains nomment celle-ci tour du « Moine gare ! » à cause de l'accident qui aurait coûté la vie à un moinillon sans l'intervention de saint Hugues (cf. la traduction du passage de Renaud de Semur p. 113). D'autres estiment avec raison, semble-t-il, que la poutre serait tombée de la tour centrale. A défaut d'autres précisions, ce récit est devenu matière d'exégèse aux archéologues soucieux de dater la construction. Cet épisode précieux nous apparaîtra comme un témoignage de la vertu et de la sainteté du Père Abbé ainsi que de l'estime qu'avaient pour lui ses contemporains. Ne l'a-t-on pas appelé « le Père très aimant » (amantissimus Pater) ?

En approchant de l'entrée principale on regardera le flanc Nord dont on admirera la pureté et l'ordonnance ternaire, sans peut-être attacher à ce fait autant d'importance que ne l'ont fait l'abbé Cucherat et Huysmans, si l'on admet que le monument était prévu, comme il semble, pour une nef plus longue, inachevée par suite de la mort de saint Hugues et raccordée avec cette construction primitive dont l'étage du narthex serait l'organe témoin. La partie inférieure du narthex a été, quant à elle, refaite en sous-œuvre au siècle dernier par Millet. Elle ne présente rien de remarquable. L'étage qu'on ne visite point ordinairement serait plus intéressant avec ses piles cruciformes, ses tailloirs en biseau et ses voûtes en berceau. On pourrait y découvrir un point de vue original sur la nef. La porte elle-même (3), qui ouvre l'accès dans la nef, presque contre le premier pilier Nord, sera examinée pour son ornementation. Elle est malheureusement en partie masquée, comme celle du transept côté Sud.

Le visiteur de la basilique peut avancer comme il lui semble bon, d'un côté ou de l'autre, et s'il avait le temps, il pourrait faire deux fois le tour pour suivre l'édifice dans les deux sens. Un édifice clunisien avec déambulatoire, ne répugne pas aux processions. On devrait s'arrêter chaque fois à hauteur du second pilier (4) pour examiner si possible les chapiteaux qui sont les seules pièces sculptées d'art représentatif, mais surtout pour admirer la perspective de la nef, du chœur, du déambulatoire et du transept avec leurs arcs, leurs piliers. Ceux-ci montent en successifs ressauts jusqu'à l'épanouissement de la voûte en berceau brisé soutenue par les doubleaux.

On s'imprégnera de l'impression profonde que doit communiquer cet ensemble grand et fort. Il convient de ne pas aller trop vite, ni de se précipiter en curieux vers tel ou tel détail, comme sont l'intéressante vasque de granit (5) à l'entrée du transept, la chapelle funéraire des Damas-Digoine (8) ou même cet autel roman si malheureusement neutralisé (6) à l'entrée du déambulatoire. Tout ceci est secondaire. L'essentiel est bien dans cette croisée incomparable, le chœur, les murs. Murs, piliers, arcs, sobrement mais savamment ornés moins par le ciseau du tailleur de pierre que par l'ordonnance du maître d'œuvre. L'ensemble, d'un robuste élan et d'une parfaite unité nous est parvenu en excellent état de conservation.

On pourra venir au chœur, l'endroit suprême pour lequel tout est dressé et préparé. Endroit protégé de la lumière trop vive et des bruits trop violents. L'endroit de la prière et du chant, le Saint des Saints du sacrifice, autour duquel se déroule l'action liturgique. Qu'on se rappelle la place prépondérante de l'office dans l'ordre de Cluny (documents C) et l'on sentira bien que nous serions barbares si, arrivés en ce lieu nous ne pensions que les moines édifièrent ce temple pour prier et louer Dieu.

On n'en pourra que mieux connaître et même admirer cette œuvre si l'on se souvient de la leçon donnée par le Christ aux Apôtres extasiés, tombés en admiration devant les murs de Jérusalem, et si l'on n'oublie pas que l'offrande des hommes au Créateur est faite de matériaux de la création, assemblés pour le remerciement en Son Fils qui s'est fait l'un de nous.

Le déambulatoire, porte étroite autour du sanctuaire selon la disposition clunisienne qui procure tout à la fois solidité, élégance et commodité pour la circulation, est bordé de huit colonnes qui semblent très fines et qui étonnent de hardiesse. Elles paraissaient probablement moins étranges à nos prédécesseurs qui avaient davantage souvenir des colonnades antiques des basiliques et des temples. Mais leur disposition au fond de l'édifice est particulièrement heureuse. L'artifice technique du constructeur faisant reposer sur elles d'importantes masses nous semble donc moins intéressant que son dessein profond et son intention religieuse.

Ces verticales allègent le volume de l'abside. Elles élèvent le regard au-delà des fenêtres, vers le point final où trône le Christ de majesté.

Faire le tour du déambulatoire, prendre du recul dans les chapelles rayonnantes (qui n'étaient point prévues pour cela) lever les yeux vers l'appareil en blocage des voûtes et voûtains, se mettre dans l'axe de la croisée et de la nef. Etudier les montées des supports avec leurs différents ordres, les pilastres, les colonnes engagées, les surfaces murales, les fenêtres aveugles et les ouvertures, la disposition des corniches avec encorbellements; les encadrements des arcs avec leurs lignes d'oves, des fenêtres avec les colonnettes de retombée, les chapiteaux; apercevoir des détails comme le non ébrasement des ouvertures dans les parties hautes sauf exceptions calculées, estimer les contrastes de lumière et d'ombre et les demi-obscurités. Constater que le matériau en lui-même est relativement médiocre et irrégulier, mais qu'il compose un ensemble harmonieux. Comprendre que l'harmonie est bien, en effet, le terme qui convient à cet édifice génial où tout est assemblé en vue d'un concert, ensemble des moyens divers accordés à un même chant : c'est ici un chant de bénédictin clunisien d'une simplicité raffinée et d'un mâle éclat.

L'œuvre est fort avancée pour son époque, le début du XIIe siècle, suivant l'estimation des spécialistes. Pour nous, elle représente le type clunisien, d'après lequel nous imaginons ce que pouvait être l'église des saints Pierre et Paul à Cluny si stupidement démolie au siècle dernier, et qui était la plus magnifique au monde. Le plan et la disposition en sont semblables avec les réductions qui s'imposaient. C'est la même conception. Le même emploi de certains détails devenus classiques, après leur essai dans cette époque du XIe siècle qui fut le jaillissement de l'architecture dans nos pays. La même audace, la même maestria. Les spécialistes l'ont assez bien exprimé.

L'archéologie n'a peut-être pas dit son dernier mot. Mais l'église des moines clunisiens est une église vivante. Avec son témoignage d'aïeule toujours jeune où demeure le souvenir de saint Hugues, Hugues-le-Grand, à l'apogée de Cluny, la Basilique du Sacré-Cœur rayonne à ses paroissiens, à ses pèlerins, à ses visiteurs, tout à la fois le message de la splendeur de la gloire du Christ et celui de l'ardeur de l'Amour de Jésus pour nous. En invitant les pécheurs que nous sommes à la prière et à la pénitence, le Fils de Dieu qui a souffert pour nous, veut nous conduire à une transformation : celle qui fait des saints par la grâce de la nouvelle naissance, par le feu de l'Amour divin, afin que nous soyons associés un jour à sa gloire.

HISTOIRE

DATES DE L'HISTOIRE DE PARAY·LE·MONIAL

Origines

971-973 Lambert, comte de Chalon s'entend avec Maïeul pour établir des bénédictins dans le « Val d'or ».

Paray n'était peut-être alors qu'une « villa » — exploitation agricole ou hameau, et non une ville — dans une vallée broussailleuse.

976-977 Le premier monastère « bâti avec ardeur » est consacré par les trois évêques de la région (Rodolphe, Jean et Isard).

Le monastère est doté de nombreux biens fonciers et reçoit (?) les reliques de saint Grat, évêque de Chalon (+ 652).

978 Mort du Comte Lambert.

(990) Celui-ci ne saurait donc accorder une charte d'exemption aux habitants de Paray. La charte de franchise invoquée est un *faux* du XVe siècle. Les arrêts du Conseil d'Etat du 19 octobre 1728 et du 27 août 1737 maintenant l'Abbé de Cluny dans le droit et possession de percevoir les taxes de rouage, péage et de lots et ventes, confirmés par les attendus et précédents invoqués, attestent le fait. Courtépée s'y est pourtant laissé prendre et nombre d'autres avec lui. On ne saurait trop vérifier les renseignements de cet auteur.

999 Hugues, évêque d'Auxerre, s'aperçut « du fléchissement de la charité et de l'accroissement du mal dans le cœur de certains et voyant que cela irait de plus en plus mal » il donna le couvent aux saints Pierre et Paul (à Cluny), abbaye dont Odilon était alors abbé. Le roi Robert le Pieux approuve cet acte.

Quelques terres sont données aux moines qui s'installent auprès des rives de la Bourbince.

(1004) Selon Courtépée, la nouvelle église est consacrée le 9 décembre par Hugues (?).

1049-1109 (saint) Hugues (le grand) abbé de Cluny.

1100-1110 Dates proposées par Jean Virey pour l'achèvement du gros œuvre de l'édifice, par comparaison avec Cluny.

Vers 1125 et dans les années suivantes, le Comte de Chalon Guillaume Ier ravage les terres de Cluny.

1166 Le Roi Louis VII intervient contre le Comte de Chalon.

1180 Au traité de Lourdon, Guillaume II de Chalon à la suite de plaintes portées contre lui par les habitants et les moines, au roi Philippe-Auguste, reconnaît qu'il n'a aucun droit de taille, de porcellage, boisselage, moissonnage, de provisions ou de charrois.

1205 Confirmation du traité de Lourdon par Béatrice de Chalon.

1228 et par Jean.

1243 puis par le duc de Bourgogne Hugues IV.

1253 Brigandage.

1287 Vérification des limites.

Etat du Monastère
selon les procès-verbaux des visites

Effectif théorique : 25 moines.

1262 20 moines « en bon état ».

1268 17 moines, « en bon état au temporel et au spirituel excepté en ce qui concerne l'église, découverte en partie »...

1271 20 moines, « en bon état ».

1277 20 moines, « en bon état ».

1280 24 moines, « en bon état au spirituel et au temporel. »

1289 24 moines (12 prêtres dont 3 ne prennent pas la semaine et 12 non prêtres dont 2 étudiants). Il n'y a plus de vitres à l'église, mais le sacriste a promis que d'ici la fête de saint Jean il les ferait réparer... La maison doit 300 livres tournois.

1292 31 moines (y compris le prieur; la maison doit 300 livres T. Nous l'avons averti de faire plus vigilante garde des bois; dans le compte des moines il faut en déduire 3 détachés : 28).

1294   27 moines, « la maison doit 4 livres T. et n'a pas de blé ni de grain à suffisance pour aller jusqu'aux fruits nouveaux ». L'ancien nombre des moines était de 25.

1298   27 moines, « quoique le nombre ancien était d'ordinaire plus faible... la maison a grain et vin jusqu'aux fruits nouveaux ».

28 mars 1300   27 moines, « l'aumône est faite trois fois par semaine et l'on observe l'hospitalité ; les observances régulières sont respectées honnêtement ; on doit au prieur autant qu'il doit lui-même, comme il nous l'a déclaré, excepté le cens du Seigneur Abbé ».

1304   25 moines « avec le prieur ; l'office divin, l'aumône, l'hospitalité et tout ce qui concerne le culte de Dieu est fait comme il faut, selon leur dire. La maison ne doit rien ».

1342   « En l'absence de l'administrateur nous n'avons pu savoir la vérité sur le temporel. La maison est en grande partie mal couverte, ce dont se plaignent les moines. » Ils se plaignent surtout du dortoir, de l'infirmerie et de la maison des hôtes. L'hospitalité n'est pas donnée comme il convient.
Le prieuré semble en décadence.

1342-1343-1344   Une bulle de Clément VI confirmant une bulle d'Alexandre IV (1255) réunit Paray à la mense abbatiale de Cluny.

Guerres
de cent ans et de religion

1347-1349   Peste noire.

1423   Tractations entre Charollais et Bourbonnais au sujet de la libération de personnes importantes et du mariage entre Charles de Bourbon et Agnès de Bourgogne dont les noces eurent lieu à Autun en 1425.

1430-1431   Guerre.

1438   « Très grande cherté de blé et grande famine au pays de Bourgogne. »

1439   Les bandes d'Antoine de Chabannes ravagent le pays.

1443   La région subit toujours les atrocités des Ecorcheurs.

1456   Le dauphin Louis malade lors de son passage à Paray.

Vers 1470   Transformation de la chapelle du croisillon Sud accordée par Jean de Bourbon à Robert de Damas-Digoine pour en faire la chapelle funéraire de sa famille. Cette chapelle est dédiée à saint Georges.

1471   Les forces du roi de France envahissent le duché de Bourgogne. De même en 1472, 1475, 1477 et 1478.

1480-1516   Construction du prieuré par Jean de Bourbon et Jacques d'Amboise. Il n'en subsiste que la grosse tour. La grande vasque qui se trouve à l'entrée du transept porte les armes de Jacques d'Amboise et date de cette époque.

1525-1528   Pierre Jayet négociant et fabricant de serges fait construire une belle maison : l'Hôtel de Ville actuel.

1535   Selon Courtépée : construction de l'église Saint-Nicolas. 1549, 1656 et 1698 sont les dates inscrites aux diverses parties de l'édifice. Une église Saint-Nicolas existait sans doute déjà auparavant.

3 juin 1562   Prise de la ville (par surprise) par une bande de calvinistes. Le trésor est pillé et la châsse de saint Grat disparaît.

1567 et 1569   Paray ravagé.

1576   Les Allemands.

1581 et 1589   Attaques des protestants.

1595   Paray se rend aux troupes royales du Béarnais. La paix est rétablie en 1596.

La Visitation
Sainte-Marie

1618   La marquise Hippolyte de Gondi de Retz épouse du gouverneur de Paray fonde une mission de jésuites rue de la Saulnerie (des greniers à sel).

4 septembre 1626   Fondation de la Visitation Sainte-Marie (dans une maison située sur l'actuelle place de l'Hôtel de Ville, n° 7).

1628   Peste.

1632   Les jésuites et les visitandines échangent leurs résidences.

1634   Au Bronchet, les protestants construisent un petit temple qui fut détruit en 1677.

22 juillet 1647   Naissance de Marguerite Alacoque, fille du notaire royal de Verosvres.

20 juin 1671   Marguerite-Marie entre au couvent de la Visitation, où elle prend l'habit le 25 août, et fait profession le 6 novembre 1672. Dates des principales apparitions : 27 décembre 1673, 1674, juin 1675, 1677 ; août et 7 septembre 1688 ; 1689.

15 février 1675   Le Père C. de la Colombière s.j. est présenté à la communauté des visitandines.

15 février 1682   Mort à Paray du Père C. de la Colombière, après un séjour en Angleterre.

17 octobre 1690   Mort de sœur Marguerite-Marie.

1864   Marguerite-Marie déclarée bienheureuse.

20 juin 1873   30 000 pèlerins à Paray. Consécration de la France au Sacré-Cœur.

24 avril 1876   Le cardinal Perraud institue les chapelains du Sacré-Cœur.

13 mai 1920   Canonisation de sainte Marguerite-Marie.

1923   Le cardinal Perraud est inhumé dans la chapelle de la Visitation.

8 mai 1928   Encyclique « Miserentissimus Redemptor » de Pie XI sur le culte du Sacré-Cœur.

106

7 juin 1929 Béatification du Père de la Colombière.

15 mai 1956 Encyclique « Haurietis aquas » de Pie XII sur le culte et la dévotion au Sacré-Cœur.

La Basilique
aux temps modernes

Dans les années 1631, 1637, 1644, le peintre Jacques Lucas exerce son talent sur les murs du transept, les voûtes de la nef et du chœur.

Vers 1730 Remaniements dans l'édifice : enlèvement des écussons peints au-dessus de la porte.

1760 Pose des stalles du chœur et carrelage.

1794 La ville de Paray rachète 15 000 fr. l'église et les bâtiments du prieuré. On avait commencé à démolir la flèche (xive s.) du clocher central.

1810 Un dôme remplace cette flèche. Mauvais entretien de l'église.

1856 Sur les instances de Montalembert, des fonds sont alloués pour la restauration de l'édifice (80 000 fr.).

1860-1862 Travaux de Millet qui restaura le narthex, le clocher central et diverses parties secondaires.

1875 L'église du monastère qui était devenue église paroissiale après la Révolution est élevée au rang de Basilique mineure par Pie IX et placée sous le vocable du Sacré-Cœur. A l'origine, elle était dédiée à Dieu Tout-Puissant ou au Saint-Sauveur, à Notre-Dame et à Saint Jean-Baptiste. L'Évêque d'Autun la consacre le 2 juin.

1923 Réfection des toitures et réparations.

1935 La fresque du chœur est dégagée et l'on commence à décaper l'édifice de ses enduits.

Population

Paray au xviie siècle compte à peine 2 000 habitants.

En 1836	3 846	habitants
En 1901	4 362	»
En 1931	7 135	»
En 1946	7 770	»
En 1954	8 499	»

NOTES

RENSEIGNEMENTS TECHNIQUES

NOTE PRÉLIMINAIRE. EXCEPTION FAITE DE LA CHAPELLE DU CROISillon Sud, la Basilique du Sacré-Cœur de Paray est entièrement romane. *Le visiteur non averti risque une méprise.*

La légèreté et la hauteur de la voûte élevée en berceau brisé sur doubleaux et les bas-côtés voûtés d'arêtes ne doivent pas faire illusion : l'arc brisé fut employé en Bourgogne dès le xi⁰ siècle et l'origine des voûtes de blocage est fort ancienne. L'on ne doit pas confondre le roman clunisien et bourguignon et le style ogival. La différence est moins dans l'allure générale que dans la technique, moins dans la technique que dans l'esprit. On pourra comparer le déambulatoire de Paray et celui de Notre-Dame de Paris et l'on constatera que la lourdeur n'est point du côté de l'art roman. De même l'emploi des pilastres cannelés imités des pièces antiques encore en place à Autun et en d'autres endroits n'a rien à voir avec les pilastres édifiés à la Renaissance. Cela va sans dire, encore faut-il le savoir. La technique de construction a pu progresser dans les temps qui suivirent l'époque de saint Hugues, elle n'a point produit de semblable réussite car malheureusement le progrès technique fut accompagné d'une décadence spirituelle. L'art, de sacré, est devenu religieux et s'est humanisé. La virtuosité et le naturalisme ont changé le point de vue.

1 *LES PORTAILS.* ON A DEPUIS LONGTEMPS REMARQUÉ L'ÉLÉgance de l'entrée dans le bras Nord du transept par cette porte latérale qui peut être considérée comme la principale : c'était celle des moines et celle qui servait le plus souvent. C'est une œuvre remarquable, en effet (pl. 22). Mais il ne faut pas l'étudier trop isolément, ni en dehors des autres portes de l'église, ni en dehors d'autres portes de la région. Certes, elle est plus visible et en meilleur état que les deux autres portes de la basilique, masquées et abîmées, plus grossières; mais toutes trois forment un ensemble.

Avant de faire appel à des influences éloignées, fort possibles, nous préférons recenser les éléments utilisés. Nous en connaissons plusieurs.

Les billettes en damier, les feuillages, les feuilles accompagnées de fruits en grappe, les bâtons brisés, les entrelacs de vannerie, les perles et les rubans plissés, la fleur (rosace ou marguerite) chère aux clunisiens mais qu'on trouve à Notre-Dame d'Orange, les oves, les pommes de pin, les crosses de fougère (?)...

L'élément le plus original et le moins connu est celui du tore de l'archivolte et de la colonne droite du portail Nord. Cette décoration que l'on peut dessiner plus aisément que décrire ou dénommer, est une espèce de gaufrure en hélice de moulin ou en sachet replié percée de trous de trépan... L'encadrement de pilastres cannelés supporte une corniche en biseau soutenue d'un rang d'arcatures lombardes. La forme de l'ouverture semble curieuse à première vue. Elle est en réalité sensiblement la même que celle des portes à linteau soutenu d'imposées en encorbellement. C'est la nudité du tympan qui égare. Ici, seule la porte méridionale présente une décoration d'animaux et de masques retournés tirant la langue (pl. 18). Les autres sont uniquement décorées, comme on l'a vu, de motifs végétaux ou d'ornements de style. La porte du Midi est traitée de façon relativement grossière. L'entrée Nord, évidemment la plus soignée, tranche par sa finesse. On remarquera cependant que la plupart des motifs ne se raccordent pas exactement aux joints des pierres : ils furent sculptés avant la pose.

Parmi les fleurs, les unes sont à cinq, les autres à six pétales. On trouve également, à hauteur d'homme, à gauche, des rosaces de ruban fleurdelisé. Le dessin des oves qui encadrent l'ouverture de la porte aux piédroits, est simple, conforme à celui que nous trouvons à la porte Nord d'Uchisy (fin du xi⁰ siècle). Les oves des arcs de l'intérieur de l'église sont d'un dessin plus évolué et plus tardif, début du XIIe siècle (la partie inférieure de la porte a été restaurée). La situation de la porte occidentale dans l'axe du narthex et désaxée par rapport à l'édifice ne prouve pas qu'elle ait fait partie d'un ancien bâtiment et qu'elle soit plus ancienne que les autres.

Notre impression d'ensemble nous ferait dater les portes des premières années du XIIe siècle. On aurait « fignolé » l'une et bâclé les autres. Cette décoration du portail Nord est une réussite admirable, provenant de la combinaison d'éléments connus plutôt que d'une nouveauté exceptionnelle. L'originalité réside davantage dans la disposition que dans le dessin des éléments. (On pourra la comparer à la porte Nord de Semur, au portail Nord de Charlieu, plus tardifs.) Tout le génie a été d'assembler harmonieusement ces motifs afin qu'aucun ne prédomine trop et que tous habillent l'ensemble en mettant en valeur les lignes générales.

Si l'argument des dimensions a quelque valeur il confirme ce fait que l'entrée Nord est la principale, en donnant 2 m 06 de passage contre 1 m 90 à l'Ouest et 1 m 74 au Sud. Différence assez faible qui prouve cependant l'adaptation de chaque porte à son service et à son emplacement, les bâtiments du monastère étant situés au Nord-Ouest de l'église.

2 TOURS. *LA COMPARAISON DES DEUX TOURS DE FAÇADE FAIT*
apparaître une différence notable dans la conception architecturale. Celle du Midi, du XIe siècle, est simple. Le premier étage n'est aéré que d'une fenêtre non ornée. Le second d'une ouverture jumelle à double voussoir et retombée sur double colonnette centrale. Le troisième lui est semblable. Chaque étage est marqué d'une simple corniche.

Mais la tour du Nord est d'une ornementation plus complexe et plus lourde. Les étages, comme dans la tour Sud sont séparés par une corniche, mais cette corniche est moulurée. Le premier étage comporte déjà une ouverture jumelée (restaurée sur le côté occidental) avec colonnettes de retombée au centre et sur les côtés. Trois colonnettes sur une face, quatre même sur d'autres. Des colonnes sont toutes engagées sur le milieu et à demi-engagées, normalement, sur chaque côté. Le second étage, le plus orné, comporte triple voussure à l'ouverture et les chapiteaux des colonnettes sont réunis par un cordon orné de billettes. Au troisième étage, surmonté d'une triple corniche à arcature, les chapiteaux des colonnettes sont réunis par un cordon d'oves-et-losanges d'un dessin assez évolué (planche couleurs P. 83).

3 ORNEMENTATION. AU TOTAL L'ORNEMENTATION DE LA BASI-
lique se caractérise par l'emploi de lignes de billettes et de perles, de colonnes engagées et de pilastres cannelés.

A l'intérieur ce système est complété par les lignes d'oves des arcades et la réunion des

tailloirs des chapiteaux par un cordon à moulure (pl. 23, 24, 25, 26).

Les corbeaux de corniche y jouent également un grand rôle, bien que d'un profil simple. On remarquera qu'ils sont assemblés par deux (pl. 24) au lieu de trois, dans la partie sans doute la plus ancienne de l'édifice : le croisillon Nord (pl. 28) et le chœur (pl. 26) ainsi que la première travée côté Nord de la nef à partir de la croisée.

Le mur du fond de la nef à l'Occident (pl. 22 et 23) est semblable à ceux du fond des croisillons (pl. 28). On y remarquera une meurtrière d'éclairage pour l'escalier qui monte à l'étage du narthex (pl. 22). Les tailloirs en biseau des piles de cette partie d'édifice qui remonte à la fin du XIe sont décorés diversement de damiers, de moulures, de dentelures, de feuilles (pl. 37), de cordons, de pointes de diamant et de torsades. Cette partie aurait besoin d'être décapée.

Le long des murs, en particulier autour du déambulatoire, on remarquera la *banquette* basse qui fait le tour de l'édifice (pl. 14 et 16).

4 BAS-CÔTÉS. *LE BAS-CÔTÉ NORD PLUS SOIGNÉ QUE LE BAS-CÔTÉ*
Sud est éclairé de fenêtres dont les arcs sont reçus par des colonnettes : au Midi les fenêtres plus grandes sont sans décoration.

5 *LE BÉNITIER DE GRANIT* QUI SE TROUVE A L'ENTRÉE DU CROI-
sillon Nord du transept est l'ancienne vasque de lavabo des moines, datée par les armoiries de Jacques d'Amboise, abbé de Cluny (1485-1510). Malgré les mutilations subies, il est intéressant et révèle une facture moins mièvre que celle que l'on pourrait craindre de cette époque. Le motif décoratif de feuilles, de fleurs et d'oiseaux semble inspiré d'un décor ou d'une étoffe orientale (pl. 32). Il est seulement déplorable que cette vasque soit garnie d'un grand crucifix sans caractère.

6 L'AUTEL DU XIIe SIÈCLE *QUI SE TROUVE ACTUELLEMENT A*
l'entrée Nord du déambulatoire a occupé diverses places dans l'église. Il se trouvait autrefois sans doute dans une absidiole. Son ornementation en harmonie avec l'ornementation des portails consiste en une gaufrure de pointes de diamant en creux encadrée de deux pilastres décorés l'un de rameaux feuillus, l'autre de rinceaux formant des oves. Il est malheureusement surmonté d'une étagère à bougies qui lui enlève originalité et caractère et le font prendre de loin pour l'un des autels imités du roman, semés à une époque récente par le travers des bas-côtés. Il pourrait être mis en valeur en nos années de renaissance liturgique.

7 BAPTISTÈRE. LA CHAPELLE DU CROISILLON NORD DU TRANSEPT
est voûtée en cul-de-four, en blocage de petit appareil tout-venant. Trois fenêtres légèrement

ébrasées avec arcs de décharge décorés de perles comme les fenêtres extérieures, plus une fenêtre aveugle, surmontées d'une corniche moulurée, en forment le décor.

8 CHAPELLE DE DAMAS-DIGOINE. *LA CHAPELLE DU CROISILLON* Sud a été transformée au XVe siècle pour devenir la chapelle funéraire de la famille de Damas-Digoine. Elle comporte deux travées voûtées d'ogive à liernes et tiercerons d'un dessin assez pur. Elle est éclairée de trois fenêtres à remplage flamboyant relativement simple.

9 COUPOLE. LA COUPOLE DE LA CROISÉE REPOSE SUR TROMPES (pl. 24). La décoration des autres grands arcs est faite de grosses perles (pl. 21). Il semble que ce motif, employé extérieurement autour des ouvertures inférieures de la région absidale (pl. 41) a été remplacé ensuite aux autres arcs par les oves plus visibles, mais aussi moins discrets (pl. 23, 25, 26, 27).

10 RACCORD. *A VOIR LE RACCORD ENTRE LA NEF ET LE MUR* occidental par la première travée Sud (à droite en entrant), on imagine à quel tour de passe-passe dut se résoudre le maître d'œuvre afin littéralement de « faire coller » ces deux parties. L'arc pourtant, malgré la forte déviation qu'on dut lui imposer, arrive à passer presque inaperçu dans l'ensemble. En se mettant face au Sud entre l'entrée et le premier pilier Nord, on se convaincra que la difficulté n'était pas mince.

11 LA GRANDE FRESQUE QUI DÉCORE LE CUL-DE-FOUR DE L'ABside date probablement du XVIe siècle et reprend le thème byzantin du Christ Pantocrator. Ce thème est excellent, mais le dessin et l'exécution sont médiocres (pl. 11).

12 RÉFECTIONS RÉCENTES. *LA BASILIQUE A BÉNÉFICIÉ DE RÉ*cents travaux de réfection et d'aménagement entrepris sous la direction des Beaux-Arts avec le concours des autorités religieuses et civiles. Il faut louer l'effort de simplification visible dans l'installation des orgues, dans la discrétion du mobilier et des objets de piété. Ainsi un chemin de croix trop encombrant a été remplacé par des croix discrètes. Le volume maintenant occupé par des objets de valeur médiocre est suffisamment faible dans l'ensemble pour éviter que ceux-ci ne viennent gâter par trop l'impression profonde produite par l'édifice. Certains peuvent regretter le badigeon ocre de quelques murs ou tel autre détail. Il n'en demeure pas moins que nous avons ici un exemple de monument bien tenu.

DOCUMENTS

A MONACHISME. « *LE BUT DE CHA-QUE MOINE ET LA PERFECTION de son cœur tendent à la persévérance continuelle et ininterrompue dans l'oraison — une immuable tranquillité d'âme — un calme durable et continuel dans l'oraison; tous les autres exercices de la vie monastique sont entrepris dans ce but* » (Cassien, Conf., IX, ch. II).

B BÉNÉDICTINS. LES BÉNÉDICTINS VIVENT EN COMMUNAUTÉ. Quand on les rencontre dans une autre condition, ce n'est que pour un temps, ou par dispense, en raison d'ordres spéciaux du Saint-Siège, comme c'est le cas des bénédictins anglais, que le Saint-Siège a chargés d'œuvres de mission. Mais la vie normale des bénédictins est la vie de plusieurs moines réunis ensemble, non dans le but de faire une œuvre particulière, mais afin qu'ils puissent réaliser autant qu'il est possible l'enseignement complet du Christ pour le perfectionnement de la vie humaine.

C'est la caractéristique des bénédictins de ne pas avoir d'œuvre spéciale à l'exclusion des autres. Une maison bénédictine se charge de toute œuvre qui se trouve adaptée à sa situation particulière, ou peut lui être dictée par ses besoins. Aussi nous rencontrons les bénédictins enseignant dans les écoles pauvres et dans les universités, cultivant les arts et se livrant à l'agriculture, se donnant au soin des âmes, ou se consacrant entièrement à l'étude. Aucune œuvre ne leur est étrangère, pourvu qu'elle soit compatible avec la vie de communauté et avec la célébration de l'office divin. Cette liberté dans le choix du travail était nécessaire dans une règle qui devait convenir à tous les temps et à tous les lieux; mais elle fut dans le principe le résultat naturel de la fin que se proposait saint Benoît, ce qui le met à part des fondateurs d'ordres plus récents. Ces derniers avaient en vue quelque œuvre spéciale à laquelle ils désiraient que leurs disciples fussent consacrés; le dessein de saint Benoît était seulement une règle par laquelle chacun pourrait suivre les conseils de l'Évangile, vivre, travailler, prier et sauver son âme.

Nous devons ensuite faire remarquer que la prière des bénédictins est l'office public de l'Église. Les membres d'une communauté peuvent avoir leurs dévotions privées; mais leur prière en tant que moines est le chant de l'office. Dans cet office, ils trouvent leur prière vocale, leur méditation, leur « examen », leurs « actes », leurs prières du matin et du soir. Le travail des moines les conduit dans toutes les parties du monastère; mais de bonne heure, le matin et le soir, à plusieurs reprises quand la journée s'avance, tous reviennent à l'église pour l'office divin et retournent encore à leur travail ou à leur repos.

Enfin, un autre secret du caractère et de l'influence de la vie bénédictine semble être que les moines d'un monastère sont unis par des liens particulièrement étroits. On peut vraiment dire qu'ils forment une famille. Les anciens et les jeunes vivent leur vie tout entière sous le même toît, sous la même discipline, autour du même autel jusqu'à ce que ceux qui sont âgés disparaissent et que les jeunes deviennent vieux, et alors une autre génération est prête à recevoir, de leurs mains affaiblies, l'œuvre du monastère; ainsi une génération succédant à une autre, la vie continue et le travail ne cesse jamais *(Dom Edmund Ford, abbé de Downside, 1896; cité par Dom Cuthbert Butler in « Le monachisme bénédictin » De Gigord Édit. pp. 323 à 325).*

C TRADITIONS CLUNISIENNES. *CLUNY SUIVIT LE CHEMIN OUVERT par Benoît d'Aniane (VIIIe s.), celui de l'allongement de l'office par des additions et des accroissements nombreux. Ainsi se prit l'habitude de réciter quinze psaumes graduels avant les vigiles ou offices de nuit et de dire probablement chaque jour l'office des morts. Les psaumes de la pénitence étaient souvent récités aussi, de même que les litanies, commémoraisons et suffrages. Après chacune des heures canoniales, on récitait de même plusieurs psaumes pour les bienfaiteurs et familiers du monastère. L'office canonial était chanté d'un bout à l'autre, et en plus de la messe conventuelle, il y avait une autre messe chantée quotidiennement après prime : la messe matutinale, plus tard messe de Notre-Dame. Les leçons à l'office de nuit étaient d'une longueur prodigieuse : la Genèse entière en une semaine, l'épître aux Romains en deux nuits.*

On comprend alors l'appréciation de Dom Berlière : « une tradition fut créée par laquelle la célébration de l'office n'était pas simplement, comme le voulait saint Benoît, la chose la plus importante dans le plan de la vie monastique, mais à peu près la seule occupation des moines, si bien que le travail devait être abandonné. Ceci devait renverser l'équilibre si sagement établi par le saint législateur et conduisit l'ordre à la catastrophe. »

Actuellement ce mouvement ritualistique a été réduit à de justes proportions et n'est plus une menace pour la vie bénédictine bien équilibrée des monastères. « Mais il a laissé derrière lui une grande tradition que tous les bénédictins apprécient et qu'ils sentent être vraiment l'esprit de notre bienheureux Père : un amour de la beauté de la maison de Dieu et de la magnificence de son culte... c'est le premier amour des bénédictins et c'est l'héritage de ce qui fut en soi, par l'excès où on le porta, une grande modification de l'idée de saint Benoît... » d'après Dom Cuthbert Butler (op. cit., p. 308 et sq).

IL Y A CERTAINEMENT UN CAS OU LES MOINES NOIRS N'ONT JAMAIS hésité à prodiguer leur opulence. Aussi loin que nous puissions remonter dans nos annales les plus authentiques, aussi loin certainement que la Renaissance carolingienne et plus loin encore en remontant jusqu'à saint Benedict Biscop à Wearmouth, les bénédictins se sont toujours efforcés de bâtir de grandes et splendides églises et de les pourvoir de tout ce qui était le plus précieux pour le service de Dieu : calices, ornements d'églises, missels avec reliures d'or et d'argent ornées de pierres précieuses, reliquaires, tout ce qui peut rehausser la majesté extérieure et la pompe du culte divin. Il est inutile de s'étendre sur ce sujet; la merveilleuse église de Cluny est à elle seule l'exemple le plus remarquable que l'on pourrait citer. Cet esprit est l'expression du sentiment religieux qui désire donner à Dieu le meilleur, et avec profusion, les plus riches matériaux joints à l'art le plus parfait et au travail le plus exquis. C'est la tendance normale universelle du sentiment religieux de l'humanité, manifesté à tous les âges, parmi tous les peuples et dans toutes les religions.

L'Église catholique, en encourageant cet instinct naturel de l'homme, n'a obéi qu'à son habituelle sagesse, prenant l'homme tel que Dieu l'a fait, avec son corps aussi bien qu'avec son âme, essayant de se servir de ses sens, de les élever et d'en faire le moyen qui l'aide à servir Dieu aussi parfaitement quepossible. De sorte que les bénédictins noirs n'ont fait à ce sujet que modeler leur action sur l'action permanente de l'Église catholique. *Dom Cuthbert Butler (op. cit. p. 165).*

D DÉVOTION AU SACRÉ-CŒUR. ON N'ENLÈVE RIEN A SAINTE *Marguerite-Marie en reconnaissant que, si elle fut l'apôtre, la disciple bien-aimée du Cœur de Jésus, elle ne fut pas à l'origine de cette dévotion dont on trouve déjà l'expression chez sainte Gertrude et sainte Mechtilde au XIIIe siècle, chez le Père du Tremblay, chez Jean de Bernières, chez le Rev. Goodwin en 1651, vers 1665 à Aix-en-Provence avec Jeanne Perraud, et surtout chez saint Jean Eudes et J. B. Noulleau.*

En 1672 Jean Eudes fait déjà chanter une messe en l'honneur du Sacré-Cœur. On peut considérer cette dévotion comme étant dans la ligne des spiritualités salésienne et bérullienne. La dévotion au Verbe Incarné pouvant être considérée elle-même comme étant la suite de la dévotion à l'humanité de Jésus dont saint Bernard avait été l'un des initiateurs. En réalité c'est tout un courant. Et ce mouvement qui a fini par envelopper l'Église tout entière, a surgi providentiellement de divers points à la fois, au moment précis où se faisait sentir, contre un jansénisme desséchant, le besoin de relations vivantes avec la personne de Jésus en ce qu'elle a de plus profond. Le culte du Sacré-Cœur est le culte que nous rendons à l'Amour de Jésus pour nous, dit le catéchisme.

Les apparitions du Sacré-Cœur à sainte Marguerite-Marie ont toutefois joué un rôle décisif, en apportant une sorte de sanction divine à cette dévotion et en l'orientant dans un sens de réparation en faveur de l'Amour de Dieu blessé par nos ingratitudes.

MOINE GARE !

"Un moinillon du monastère de Paray,
    lors qu'il priait au chœur avec les frères,

    d'une pièce d'échafaudage tombant
    -qui avait été assemblée
    au plafond de tour au-dessus-

    eut la tête fracassée.

On court au Vénérable Père,
    qui était alors à l'office divin
    dans une autre église, celle de la Mère de Dieu ;

    et le choc si violent
    de l'enfant presque sans vie déjà
    lui est annoncé.

Lui, dès sa venue, arrose d'eau bénite la face (du blessé)
    et de la prière jointe retint l'esprit
    qui palpitait à peine et jà s'en allait :

    d'où peu après,
    ayant recouvré forces et repris santé
    il survécut long temps."

RENAUD DE SEMUR
acta sanctorum avril III p 652

SAULIEU

Entre Auxerre et Tournus, Vézelay et Autun, Saint-Andoche.

On a peine à croire que, à tel point accessible, cette basilique soit encore relativement si peu connue, son renom si restreint. Son extérieur lui nuit? Peut-être. Ses proportions réduites la désavantagent? Sans doute. Le martyre de Saint-Andoche au cours des temps a valu à l'édifice bien des mutilations, des déprédations, des sévices, dont le récit de Georges Barbier sait rendre compte.

Mais enfin reste encore la nef, et ses collatéraux. Demeure surtout cet admirable monde de chapiteaux, cet ensemble que l'on chercherait en vain dans bien d'autres églises plus célèbres. De telles merveilles ne justifieraient-elles pas un long détour?

Venez à Saint-Andoche de Saulieu.

LES CHAPITEAUX DE SAINT-ANDOCHE

Ce qui nous reste de la basilique romane de Saint-Andoche, à Saulieu, — nef et collatéraux — nous laisse suffisamment à penser ce que devait être l'édifice aux beaux jours de sa consécration, en 1119 (pl. 65, 68). Mais c'est trop peu, hélas! pour nous permettre d'apprécier en pleine valeur le génie de l'architecte, comme il nous est encore loisible de le faire avec tant d'aisance, par exemple, lorsque nous parcourons la basilique de Paray.

L'élément dernier, l'ultime trésor — mais, à la vérité inestimable — que Saulieu garde jalousement en ses murs, ce sont évidemment ses chapiteaux. C. Oursel, dans un récent livre sur l' « *Art de Bourgogne* », ne reconnaît-il pas volontiers que « de bons juges les préfèrent à tous autres issus de Cluny ? » (p. 60).

Nous ne pensons pas que ces bons juges aient tort. C'est pourquoi, avant de laisser la parole à Georges Barbier — qui aura donné sa vie à Saint-Andoche, et à qui, en retour, Saint-Andoche a donné sa vie en partage — nous voudrions, à leur sujet, toucher un mot au lecteur.

Il est intéressant, nous semble-t-il, de se demander quelle est, dans cet ensemble de sculpture de Saulieu, l'œuvre la plus religieuse, la plus sacrée ?

La réponse nous paraît claire : *l'Apparition à Madeleine*. Il y a là un cri à tel point spontané, déchirant, de foi, de vérité, que nous ne pouvons échapper au sortilège de ces regards, de ces rythmes qui ne cherchent point à nous émouvoir, mais nous touchent par là-même qu'ils trahissent une émotion *vécue* — et nullement inventée ou provoquée. Les rythmes sont puérils, mais *vrais*. Sincérité humaine de *l'Apparition,* sincérité humaine de la Vierge serrant l'Enfant de *la Fuite en Égypte.*

« Si vous ne devenez comme de petits enfants, avait dit Jésus, vous n'entrerez pas dans le Royaume des Cieux ». Privilège de l'enfance. Peut-être, entraînés par des soucis techniques, le (ou les) sculpteurs de Saulieu laissèrent-ils quelque peu s'altérer en eux cet esprit d'enfance dont *l'Apparition à Madeleine* trahit si nettement la présence ?

Perfectionner ses moyens sans ternir en rien sa fraîcheur d'âme. N'est-ce point là, au fond, l'ambiguïté radicale de tout art sacré ? Et si l'art roman atteint à une telle force dans l'évocation du monde surnaturel — au point que, depuis, en nulle autre époque, il n'a été surpassé — n'est-ce pas, en fin de compte, pour cette raison-là ? Le monde chrétien d'alors — avec tous ses défauts et toutes ses tares — avait l'esprit d'enfance en partage. Comme il était heureux !

On dirait qu'à Saulieu le sculpteur prend déjà le pas sur le croyant. Songe-t-il à Balaam, lorsqu'il réalise son chef-d'œuvre ? On peut déjà en douter...

Certes, nous n'avons pas à juger le Maître de Saint-Andoche. Il nous jugerait plutôt ! *Plastiquement,* c'est un sculpteur de premier plan. Gislebert d'Autun ne s'y est point trompé, qui s'est mis à son école. Ses chapiteaux sont certainement parmi les premiers de son temps. *Religieusement, l'Apparition à Madeleine* suffit à montrer qu'il a gravi certains sommets — insoupçonnés de tant d'autres ! — et, dans ses œuvres de maîtrise, il reste encore plus sacré que maints artistes dits religieux, dits chrétiens. Seulement la main l'emporte peut-être alors sur le cœur ? Quoi qu'il en soit, s'il nous a permis de soulever une question, c'est en vertu même de son autorité, de l'authenticité de son langage, de la franchise de son itinéraire.

Au lecteur de décider, pour finir, s'il accepte notre façon de répondre au problème ainsi posé.

L'Atelier du Cœur-Meurtry

HISTOIRE D'UN MARTYRE

Vers l'an 160 après Jésus-Christ, saint Polycarpe, évêque de Smyrne et disciple de l'apôtre saint Jean, envoyait saint Bénigne, saint Andoche, saint Thyrse et saint Andéol prêcher l'Évangile dans les Gaules. Après avoir laissé saint Andéol évangéliser le Vivarais, les trois missionnaires vinrent évangéliser Augustodunum (Autun) où ils furent reçus par Faustus, gouverneur de la cité. C'est dans cette ville que saint Bénigne baptisa Symphorien, fils de Faustus, dont saint Andoche fut le parrain. Saint Bénigne gagnait alors Dijon et Langres tandis que saint Andoche et son diacre saint Thyrse s'acheminaient vers Saulieu où les attendait un marchand chrétien, originaire de Smyrne et ami de Faustus, saint Félix. Tous trois y subirent le martyre en 177, sous Marc-Aurèle (Aurelianus).

Les actes des martyrs *(des Vᵉ et VIᵉ siècles)* ne s'accordent pas quant à la date exacte du martyre de nos trois saints. Ils les font envoyer dans les Gaules par Polycrate, évêque d'Éphèse, et situent leur martyre vers 202. N'ergotons pas sur ces dates et contentons-nous de signaler qu'un manuscrit très ancien, d'un monastère orthodoxe russe, nous dit : « En 177, à Sedelocus, naissance (au ciel) de trois martyrs, sous Aurelianus : Andoche, Thyrse et Félix ». Voilà qui est précis et met les choses au point.

Quoi qu'il en soit, c'est bien sur leurs reliques authentiques, vénérées dans la « crotine » (1), petit creux souterrain édifié après leur martyre, que la première église fut construite en 306. Elle portait déjà le nom pompeux de basilique puisque, en 706, Vandérade, abbé de Flavigny et de Saulieu, lègue à celle-ci dans son testament (selon une antique traduction) « tous les biens qu'il possédoit à Avalon (sic), Passy et Maizières » et s'exprime ainsi : « do ad basilicam sancti Andochii ».

Les nombreux pèlerins qui viennent se recueillir sur les reliques des saints martyrs enrichissent la basilique. On y voit tour à tour saint Amâtre, originaire d'Auxerre et évêque de cette ville, saint Germain qui fut son successeur, sainte Clotilde, Clovis, saint Colomban, le roi bourguignon Gontran, Brunehaut et Charlemagne.

C'est alors que va commencer l'interminable martyre de la malheureuse église.

En 747, après avoir ravagé Autun, les Sarrasins s'emparent de Saulieu, rasent église et monastère, pillent et brûlent la ville. Charlemagne, revenant d'Autun anéanti, passe à Saulieu et s'émeut sur les ruines de la basilique. Il la fait rebâtir à ses frais, donne aux bénédictins les biens qui leur avaient été ravis, y ajoute le « clos Charlemagne » à Aloxe-Corton, et leur fait enfin cadeau de son précieux missel. L'église perd son titre de basilique pour prendre celui d'église royale de Charlemagne.

Voici de nouveau les invasions et les guerres ; comme l'antique basilique, l'église royale est anéantie ; elle tombe en ruines lorsque Étienne de Bagé, évêque d'Autun et comte de Saulieu, entreprend de la reconstruire sur la fin du XIᵉ siècle. Grand ami de Cluny, centre et berceau de la civilisation, Étienne de Bagé dote notre cité d'une fille de cette belle école bourguignonne dont elle a tout le style. En 1119, le 21 décembre, un pape bourguignon, Calixte II — Guy de Bourgogne — de passage à Saulieu au retour du concile de Reims, consacre la grande abbatiale. « Autant pour honorer vos trois martyrs, dit-il, que ma patrie la Bourgogne, je demeure dans votre bonne ville pour y consacrer votre belle église. »

Certes, elle devait être grande et belle, à cette époque, dans sa neuve parure de pierre, avec ses deux tours carrées à la façade, ses trois belles nefs, son transept, son vaste sanctuaire contourné par un déambulatoire, avec ses absidioles et ses chapelles rayonnantes !

Hélas ! deux siècles plus tard c'est la guerre de Cent ans !

Les Anglais, cantonnés à Flavigny et à Semur, assiègent Saulieu une première fois sans succès ; mais au cours d'un second siège, ils pénètrent dans la place par une brèche, faite près la tour de l'évêché — actuellement tour d'Auxois — et anéantissent dans un terrible incendie l'une des plus belles églises de Bourgogne. Les toitures sont brûlées, les clochers démantelés, les cloches fondues par l'ardeur du brasier. Le croisillon du transept, le sanctuaire, le déambulatoire, les absidioles, tout est détruit à jamais ! Il ne reste debout que la grand'nef et ses collatéraux. Ceci se passait en l'année 1359.

C'est en vain que deux papes vont essayer de relever Saint-Andoche de ses ruines. Urbain V, en Avignon, le 15 juillet 1364, et Clément VII, en 1584, malgré les indulgences accordées à tous ceux qui auront fait quelque aumône pour la reconstruction de l'église martyre « prinse, arse, ravie », brûlée par les Anglais, n'arrivent pas au résultat espéré.

On perd la trace des bénédictins même avant l'incendie de l'abbatiale et déjà il est question d'une collégiale occupée par les augustins. Ceux-ci se contentent de fermer les trois nefs encore debout par des murs, au niveau de l'ancien sanctuaire. Ce n'est qu'en 1704 qu'ils rebâtissent l'abside en la soudant, gauchement, à l'amorce du transept... Le remède est pire que le mal! Et voilà notre collégiale affligée d'une abside selon le goût de ce début du XVIIIe siècle, abside sans intérêt, et rompant l'unité de style de l'ancienne abbaye clunisienne. En vain y adopte-t-on les stalles du XIVe empruntées au chancel, l'abside reste laide.

Le martyre de notre église n'est pas encore terminé. La Révolution mutile en grande partie son beau portail, brise la statuaire, s'en prend aux panneaux sculptés des stalles, descend les cloches, enlève vases sacrés et ornements.

Le calme est revenu; que vont faire ces messieurs du Chapitre? — Restaurer! Hélas, nous sommes à la fin du XVIIIe siècle et nos restaurateurs vont continuer de détériorer et de mutiler! Les piliers et les murs sont passés à la peinture jaune, les chapiteaux badigeonnés et le pavement des trois nefs surélevé... pour éviter quelques marches et mettre l'église au niveau de la place. Une fouille-témoin opérée dans le collatéral Nord montre la base du pilier enterrée d'un bon mètre! Les toitures des collatéraux sont refaites mais on délaisse de parti-pris la belle tuile romane pour la remplacer par la tuile bourguignonne et, pour obtenir la pente nécessaire à l'écoulement des eaux, on surélève les toitures en obturant les dix baies de la claire-voie ou clérestory.

En 1869, à l'époque de Viollet-le-Duc, on restaure le portail; fermons les yeux... tout en rendant hommage à celui qui releva d'une ruine presque totale la Madeleine de Vézelay. Le XXe siècle fera mieux, heureusement. La statuaire a été renouvelée par la mise en place de statues anciennes remplaçant avantageusement les modèles de style sulpicien. La toiture du collatéral Nord a été refaite par les soins des Monuments Historiques — espérons que celle du collatéral Sud le sera bientôt — réfection heureuse vu l'emploi de tuiles romanes et le dégagement des baies de la claire-voie. Un maître-autel dans l'esprit roman, œuvre du sculpteur sédélocien Albert David, abrite désormais entre ses quatre piliers le vénérable sarcophage — restauré — de saint Andoche. Ce maître-autel, sans tabernacle et sans gradins sur la table, ne poupe plus en deux la perspective comme le faisait le crécédent ; le sanctuaire dégagé fait davantage corps avec la nef, l'église semble plus grande et l'ensemble a un aspect plus heureux qui atténue tout de même quelque peu la laideur du sanctuaire édifié par messieurs les chanoines.

Malgré ces humiliations, notre église n'en reste pas moins un prototype achevé de roman clunisien-bourguignon, d'une très belle allure.

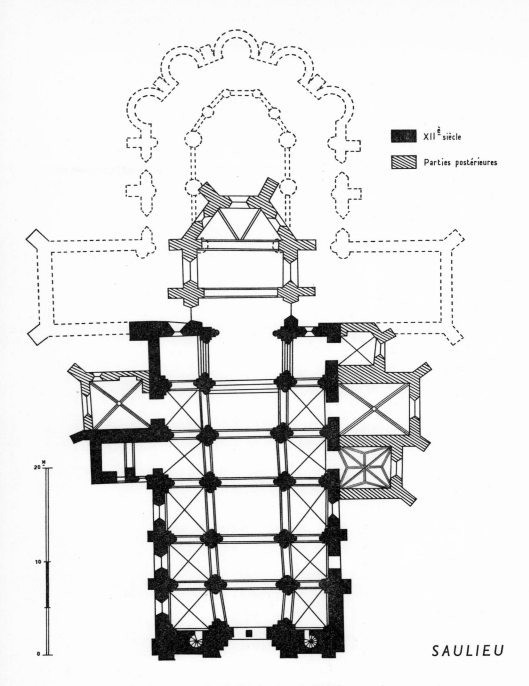

XIIᵉ siècle

Parties postérieures

20 M

10

0

SAULIEU

On peut voir à la fois le plan de l'édifice actuel
et, en pointillé, celui du chœur roman, avant
l'incendie de 1359.

PRÉSENTATION DE LA BASILIQUE

Moins privilégiée que la Madeleine de Vézelay, sa quasi-contemporaine, dont la masse imposante se détache en haut de la colline, la basilique Saint-Andoche semble bouder, à l'écart de la route nationale n° 6 : sa belle tour romane lourdement casquée d'un double dôme en plomb du XVIIIe, son abside trop haute dont la toiture dépasse celle de la nef, n'avantagent guère l'ensemble de la construction. Mieux avertis, les archéologues, les érudits, les vrais amateurs ne se laisseront pas impressionner par ces détails extérieurs. Le portail franchi, la belle ordonnance de l'intérieur, les superbes chapiteaux avec leur diversité de styles et les multiples influences qu'ils recèlent, sauront les enchanter et retenir leur admiration (pl. 42). Construite d'un seul jet et sans aucun travail de reprise, notre basilique représente, comme le dit Jean Bonnerot dans son ouvrage sur Saulieu, le type clunisien le plus correct de forme et le plus parfait dans les détails.

Comme ses contemporaines et sœurs, elle possède la caractéristique du roman clunisien-bourguignon dans ses arcs brisés outrepassés, reposant sur des piliers cantonnés de quatre colonnes, engagées et baguées, d'une belle envolée malgré leur pesante masse. La grand'nef barlongue a la voûte en berceau brisé qui s'élève à 17 m 80; elle a 10 baies à la claire-voie et un triforium aveugle de quatre arcatures en plein cintre, encadrées par deux bandeaux moulurés (pl. 65, 68). Les collatéraux possèdent le même arc mais ils ont la voûte d'arêtes; leur élévation est de 9 m 40. La longueur de l'édifice est de 24 m 50 et sa largeur de 15 m. Avant l'incendie de 1359, il s'étendait jusqu'au marché couvert actuel, soit une vingtaine de mètres de plus!

Les maîtres-d'œuvre bourguignons étaient des audacieux : ils donnaient au vaisseau majeur le maximum de hauteur alors qu'ils ne pouvaient l'épauler qu'avec de mièvres contreforts — l'arc-boutant n'étant pas encore né — et, contrairement aux autres écoles, ils poussaient l'audace jusqu'à éclairer la nef par des baies qui affaiblissaient, par leurs percées, la résistance des murs. Il n'y a guère qu'en Bourgogne que l'on voit cette particularité. D'où, fatalement, poussée oblique de la voûte avec déformation des arcs doubleaux et rejet des murs vers l'extérieur. A Saulieu, l'évasement de la voûte est d'un mètre : 5 m 33 à la base des piliers et 6 m 33 à la naissance des arcs brisés!

La hantise d'une voûte élevée a incité nos maîtres-d'œuvre à un timide essai d'arcs-boutants dans l'emploi des basses nefs. Les arcs brisés des collatéraux sont asymétriques et donnent à première vue l'impression d'une malfaçon. C'est ainsi que, au collatéral Sud, l'allongement de l'arc de gauche est bien visible et l'écourtement de celui de droite a nécessité la surélévation des colonnes engagées et des chapiteaux pour compenser l'écourtement de l'arc de droite. La même chose se remarque au collatéral Nord mais en sens inverse. La nef centrale est donc épaulée par les basses nefs jusqu'à la hauteur des voûtes de celles-ci; au-dessus il n'y a plus, comme épaulement, que de minces contreforts d'un mètre de large et de 0 m 50 d'épaisseur. Ils sont plus décoratifs qu'utilitaires mais rompent heureusement la monotonie des grands murs extérieurs. De même, pour la grand'nef, le triforium aveugle, composé de quatre arcatures en plein cintre et encadré de deux bandeaux avec filet et doucine, rompt la monotonie des murs intérieurs (pl. 65).

Il eût été facile, semble-t-il, en 1704, aux constructeurs de l'abside, de prolonger ce triforium et d'employer les petites baies de la claire-voie; ils n'auraient pas rompu ainsi l'unité de style et la belle harmonie de notre église. Mais ceci se passait au XVIIIe siècle! Après le rococo et le baroque, on était tombé à zéro! Faute de bon goût?.. C'était le goût de l'époque?.. Mystère!

La façade de la basilique est ornée de deux tours barlongues d'inégale hauteur. Deux fois frappé par la foudre, en 1692 et en 1734, le grand clocher fut restauré, mais fâcheusement coiffé, par ordre du Parlement de Bourgogne à messieurs du Chapitre (1594), d'un triple dôme de plomb en souvenir du grand empereur Charlemagne qui avait fait bâtir la seconde église. On en était encore au rococo! Restauré une seconde fois, mais avec un dôme en moins, il conserve néanmoins son affreux casque de plomb. De gros travaux sont envisagés pour la restauration urgente de ce clocher. Certains se plaisent à voir là une bonne occasion de remplacer le dôme par une flèche et de rendre à ce clocher l'aspect que nous lui voyons sur une ancienne gravure du XVIᵉ siècle. Hélas! La commission des Beaux-Arts estime que cette gravure n'est pas un document absolument convaincant et, en tout cas, insuffisant pour nous dire exactement ce que pouvait être cette flèche. Alors? — Réparer le dôme? — Survivance du rococo! — Remplacer le dôme par un toit en bâtière? — Ce serait faire injure à nos maîtres-d'œuvre du XIIᵉ qui ne se seraient pas contentés d'un si maigre couronnement. Pour ne point encourir les foudres de ces messieurs des Monuments Historiques — bien qu'espérant tout de même une modeste petite flèche, plus en rapport avec le style de l'édifice (et en attendant celle-ci... ou autre chose) — terminons, dans le doute, par un magistral point d'interrogation...

Le pignon de la grand'nef est orné de modillons ou corbelets bourguignons qui sont également employés aux étages des clochers et aux murs extérieurs. Le portail, presque entièrement mutilé à la Révolution, a été restauré en 1869 en s'inspirant de ce qui avait subsisté; cette restauration n'a pas été achevée complètement, il n'y a pas trop lieu de s'en plaindre! A droite de la façade est un autre petit portail, assez fruste, en matériau de remploi, qui faisait partie autrefois du bâtiment des chanoines, lequel fut vendu comme bien national. On voit sur l'un des montants un masque d'évêque avec mitre grecque, sur l'autre une tête de mort et, comme tympan, un couvercle de sépulture franque orné d'une croix ancrée.

Le monument tout entier est bâti en lumachelle provenant des carrières de Champ-Monin (champ aux moines) et de Château-Benoît, près de Saulieu; on en voit encore les excavations. Seuls, les chapiteaux sont en pierre blanche d'Anstrude (Yonne).

VISITE

COMMENT VISITER LA BASILIQUE DE SAULIEU

L'un des historiens d'une cathédrale de Bourgogne commence son ouvrage par une boutade pleine d'esprit et affirme, non sans malice, que tout sacristain, épris de son église, la cite comme la plus belle, fait l'éloge de ses vastes proportions, de sa magnifique parure de pierre et la présente comme le joyau des belles églises de Bourgogne. Toutefois, et sans parti-pris — bien qu'indirectement visé — reconnaissons bien volontiers que point n'est besoin de recourir ici à des artifices d'éloquence ou d'érudition, et essayons de mettre notre modestie à l'abri de toute attaque en ouvrant aux yeux des visiteurs — ou des lecteurs — le bel écrin de pierre qui renferme les merveilleux joyaux des imagiers bourguignons; il parlera lui-même en étalant dans son vaste vaisseau les trésors artistiques qu'il garde jalousement intacts depuis huit siècles, tels qu'ils furent amoureusement sculptés, en des temps de foi ardente, à la mémoire de nos trois martyrs, venus d'Orient pour évangéliser les Gaules et féconder de leur sang généreux la divine parole semée par eux en la terre de Saulieu.

Les Chapiteaux

Les chapiteaux de Saint-Andoche sont et passent pour être incontestablement parmi les plus beaux de la Bourgogne. Les chapiteaux historiés se présentent sur deux plans : au premier, personnages ou animaux, mis en valeur par un second plan de feuillage. Ce n'est plus du bas ou du haut-relief mais presque de la ronde-bosse tant les personnages sont en relief. Essayons de les décrire sans omettre aucun détail.

Collatéral Sud

PREMIER PILIER A DROITE, COLLATÉRAL SUD : *le baiser impur des deux wivres* avertit le fidèle, avec un peu de rudesse et de réalisme, de ne pénétrer dans le saint temple qu'avec un cœur pur et des mains innocentes et de laisser à la porte vices et péchés qui souillent et dégradent l'âme.

DEUXIÈME PILIER : *trois scènes de la Résurrection* sont figurées dans le même chapiteau : sur la gauche, départ des saintes femmes; les deux dernières semblent s'interroger : « Qui nous aidera à basculer la pierre qui ferme l'entrée du sépulcre? » (pl. 52); à droite : les trois femmes, linges et parfums en mains, sont interpellées par l'ange assis sur la pierre renversée du tombeau et qui les rassure car elles ont peur : « Ne craignez point, celui que vous cherchez est ressuscité; allez dire à Pierre et à ses disciples qu'il vous précède en Galilée, vous le verrez comme je vous l'annonce » (pl. 54 et 56); au centre : Madeleine en pleurs s'adresse à un personnage qu'elle prend pour le gardien : « Seigneur, si tu l'as emporté, dis-moi où tu l'as mis et j'irai le prendre ». Jésus lui dit alors : « Mariam! » Madeleine, ravie d'avoir retrouvé le divin Maître, va se jeter à ses pieds mais

128

Jésus se dégage, dans un geste merveilleusement interprété, et lui dit : « Ne me touche pas — *Noli me tangere* — je ne suis pas encore monté vers mon Père » (pl. 53 et 56).

Admirez longuement le visage du Christ (pl. 56), il est impressionnant, il n'est point de cette terre, il est divin ! Les imagiers de Saulieu l'ont divinisé comme ceux d'Autun et de Vézelay ; ils en ont fait selon les Écritures « le plus beau des enfants des hommes », mais il ne nous émeut plus autant que le Christ clunisien, véritable chef-d'œuvre jamais égalé.

Comme la foi des hommes du Moyen Age était grande et éclairée pour produire de tels chefs-d'œuvre, et combien sont naïfs ceux qui sourient à la vue d'un Christ à la tête énorme et aux mains disproportionnées. Ils n'ont pas compris que la tête est le siège du cerveau, créateur des sermons sur la montagne ou sur le lac de Tibériade, fustigeant durement Juifs et Pharisiens par ses cinglantes apostrophes. Non, nos imagiers n'étaient point des naïfs et le Moyen Age ne fut jamais le siècle de l'obscurantisme, comme on le prétendait naguère. Aujourd'hui, on réhabilite cette si belle période où Cluny, centre et berceau de la civilisation, fut le premier à créer, à édifier ces merveilles alors que les invasions avaient détruit tout sentiment artistique et que tout était à réinventer.

TROISIÈME PILIER : *pendaison de Judas* (pl. 64). Un affreux satan, au rictus effrayant, hisse au moyen d'une corde, passée sur une poulie attachée au faîte d'un palmier, le pauvre Judas, les yeux révulsés, la langue pendante et le nez... de sa race. C'est ainsi, grâce à un accroc au texte évangélique, que l'imagier apprend au fidèle que l'Église condamne le suicide qui mérite les peines de l'enfer. Palmiers-dattiers stylisés et feuilles de figuier forment un superbe fond à la scène ; au-dessus, un damier orne le tailloir à deux ressauts.

Sur le même pilier, à l'opposé de ce chapiteau, on peut voir des *acanthes grotesques* (pl. 45) : fantaisie de l'imagier qui, pour se distraire, campe magistralement sur les pointes des feuilles les masques de ses infortunés confrères. Deux idiots et un coléreux amusent la galerie mais, en dessous, quatre petits impertinents moqueurs se paient très gentiment la tête de ceux qui ont eu l'audace de se moquer des premiers. Certains archéologues — distraits ? — ont cru voir là les masques des sept péchés capitaux alors qu'il y a en réalité 9 masques et non 7 seulement. De face, il est vrai, on n'en voit que 7, sur deux rangs — 3 au-dessus et 4 en dessous — ce qui a pu faire penser aux sept péchés capitaux, mais il y a encore 2 masques, un dans chaque angle sous le tailloir, peu visibles, plus petits et moins travaillés que les autres. N'est-ce point assez de sept péchés pour empoisonner l'existence des chrétiens sans en ajouter encore un huitième et un neuvième ?

QUATRIÈME PILIER : *la fuite en Égypte* (pl. 66, 67). Conduite par saint Joseph, coiffé d'un turban, la barbe en fleuve — un tantinet assyrien — (pl. 66) la gentille ânesse sur laquelle, assise sur un coussin, la Vierge tient l'Enfant-Jésus. Il faut voir avec quelle allure la petite ânesse, montée à dessein sur quatre roues de char romain, symbole de vitesse, avance avec l'assurance d'une parfaite équilibriste (pl. 67). On remarquera le drapé merveilleux, aux plis délicatement refouillés de 2 ou 3 centimètres de profondeur et le superbe bord de feuillage presque entièrement détaché de la masse, très certainement copie d'ivoire byzantin ou d'enluminure.

Au même pilier : *combat de coqs* (pl. 57). Deux coqs en bataille, chaperonnés et éperonnés, y vont du bec et des ergots. Leurs deux propriétaires les regardent : celui de droite clame la victoire que son coq tandis que l'autre, se voyant vaincu, s'arrache les cheveux de dépit et fait la moue. La scène est d'un réalisme achevé et les personnages ont une mimique très expressive.

CINQUIÈME PILIER : *pastorale*. Un petit berger byzantin joue de l'olifant ; il est juché sur le dos d'un animal dont la tête — mascaron de stèle romaine — sert de salle de bal à deux chèvres affrontées — influence perse-sassanide — accompagnées d'un petit cochon, animal cher à notre Morvan. Deux palmes, sortant de la gueule du monstre encadrent la scène et viennent rejoindre un ours des cavernes (pl. 62). Tout cela constitue une agréable fantaisie.

A côté, *feuilles de chardon stylisées,* étalées avec art et ciselées au trépan — fin ciseau des imagiers du bas-empire, qui s'en servaient également pour creuser les yeux des personnages, ceux des animaux et leurs naseaux, afin de leur donner plus de vie et de les rendre plus expressifs.

Derrière le même pilier, face au sanctuaire : *Minerve-Athéné,* déesse de la sagesse et des arts, symbolisée par une chouette, présentée de face, les ailes ouvertes, et agrippée sur un triple étage d'acanthes (pl. 58).

Passons au COLLATÉRAL NORD.

Collatéral Nord

CINQUIÈME PILIER : *la louve de Rome.* Sur un fond de volutes et d'acanthes, la louve, hargneuse et maigre à souhait, se bat les flancs avec sa queue. Ne serait-ce pas à dessein que nos imagiers auraient placé ces deux chapiteaux — les deux puissances païennes, Rome et Athènes, symbolisées par la louve et la chouette — de chaque côté du sanctuaire pour les opposer à la puissance chrétienne, représentée par le maître-autel et le tombeau de saint Andoche ?

En face de ce pilier, adossé au mur extérieur : *le centaure sagittaire,* l'un des douze signes du zodiaque. Il est ici à l'intérieur, contrairement à l'usage qui plaçait les signes du zodiaque au calendrier de pierre des portails, parfois avec les travaux des mois correspondant aux signes, comme à Vézelay.

QUATRIÈME PILIER : *deux sangliers affrontés* (pl. 60). Deux personnages les retiennent par la queue; celui de gauche porte la braie et le sagum et est armé d'un maillet, celui de droite est vêtu du peplum et armé d'une pierre. Faut-il voir là un gaulois et un romain? Une page d'histoire sédélocienne? Les deux étymologies : le solis-locus des gaulois et le sédélocum des romains? Laissons à de plus érudits le soin de déchiffrer l'énigme.

Notons cependant que ce chapiteau fut le point de départ de la vocation du regretté sculpteur-animalier, François Pompon; enfant du pays, il aimait à contempler ces deux sangliers et c'est en les admirant qu'il sentit naître en lui le goût et le désir de sculpter lui aussi des animaux.

TROISIÈME PILIER : *la première tentation du Christ au désert* (pl. 49, 50, 51). Un affreux satan, la chevelure en flammes, une vraie tête de monstre (pl. 50), des ailes d'ange (déchu), un serpent enroulé à sa jambe gauche — rappel de sa manifestation à Adam et Eve — présente au Christ une grosse pierre ronde : « Si tu es le Fils de Dieu, dis à cette pierre qu'elle devienne du pain ». C'est le texte de saint Luc, saint Matthieu emploie le pluriel : ces pierres. On connaît la réponse du Christ : « L'homme ne vit pas seulement de pain ». Derrière le Christ, un ange aux ailes déployées semble porter, dans sa tunique, les aliments nécessaires au divin Maître et attendre que le démon se soit retiré : « Et voici que des anges s'approchèrent et ils le servaient ».

Au même pilier : *les colombes et l'oiseleur?..* ou bien le symbolisme : l'impureté grimaçante et la pureté représentée par des colombes?

DEUXIÈME PILIER : *le faux prophète Balaam* (pl. 48). C'est le chapiteau le plus humoristique de Bourgogne, à n'en pas douter. Balaam chevauche son ânesse, qui avait le don de la parole... il est à présumer qu'elle disait des âneries aussi grosses qu'elle, et son seigneur et maître essayait, par dépit, de la surpasser en en disant de plus grosses encore. Le Seigneur irrité de cette comédie envoya un ange pour y mettre fin. Telle est la scène décrite ici. L'ange, armé d'une épée nue, est monté sur les murailles de la ville dont il doit interdire l'accès. L'ânesse, aveuglée par la vue de l'ange, détourne la tête et fléchit sur ses pattes (pl. 61); Balaam, qui n'a rien vu, la frappe brutalement à coups de crosse. C'est alors que la pauvre bête apeurée dit à son cavalier ahuri : « Pourquoi m'as-tu frappée? L'ange du Seigneur nous arrête par ordre ». Il faut avouer que cette interprétation n'est pas absolument conforme au texte sacré (Nombres, XXII, 22-36) mais ne semble-t-elle pas suggérée à l'esprit par la manière dont l'artiste a traité

son sujet? — Il a coiffé Balaam du capuce monacal, il l'a revêtu du froc, il lui a mis la crosse à la main (en forme de tau grec en usage à l'époque) ne serait-ce pas — trois fois horreur! — une caricature d'un Révérendissime Père Abbé? Pour le faire encore plus grotesque, on l'a affligé d'une paire d'éperons et il chausse l'étrier comme un chevalier partant pour la croisade sur un palefroi richement caparaçonné!

Le même sujet se retrouve à la cathédrale d'Autun et à l'église de La Rochepot, mais le nôtre les dépasse de beaucoup par son humour, sa rosserie bien bourguignonne! On regrette de ne pas avoir à lire au bas de ce chapiteau une modeste signature comme au tympan du Jugement dernier, à Autun.

Diverses influences sont à remarquer parmi nos chapiteaux. L'influence orientale d'abord : celle de Byzance, de Perse-Sassanide, d'Ethiopie (feuilles d'arum), d'Égypte (feuilles de lotus) (pl. 44); celle-ci se manifeste encore dans les lions accostés, le combat de coqs; par contre, les wivres sont empruntées aux bestiaires picards. A l'influence de Rome nous devons la louve et le centaure-sagittaire, à celle de la Grèce, Minerve-Athéné sous la forme de la chouette. La faune locale est représentée par le combat de sangliers, et la flore, par le chardon stylisé, l'artichaut, les frondes de fougères naissantes, la joubarbe qui étale ses feuilles charnues, tantôt chevronnées, tantôt rubannées.

Certains chapiteaux historiés ont donné lieu à des interprétations erronées ou douteuses; nous avons déjà signalé les acanthes à masques humains. De même, J. Carlet, dans un ouvrage sur la basilique, publié en 1858, désigne le chapiteau de la Résurrection par ce texte de l'Évangile : « Laissez venir à moi les petits enfants ». Erreur manifeste! Dans le chapiteau de l'oiseleur et des colombes certains ont voulu voir une mutilation volontaire de l'imagier; cette mutilation peut s'expliquer ainsi : ce chapiteau est formé de trois lits de pierres, une poussée de la voûte a fait éclater le lit du milieu, décapitant les oiseaux qui becquètent, la tête en bas, des graines disposées sur des volutes d'acanthes. Enfin les feuilles et branches d'aulne sculptées à plat et sans volutes aux angles des tailloirs, chose assez rare à l'époque, ne représentent pas, à notre avis, un arbre de la flore morvandelle mais seraient plutôt la naïve copie d'une tapisserie ou d'une enluminure Perse-Sassanide.

La Tribune et la Nef

Nous voici sous la tribune de l'orgue. Elle est en châtaignier et date de la fin du XVe siècle (2). Le grand orgue masque un oratoire à saint Michel — situé entre les deux tours — avec porte en plein cintre et deux petites baies romanes. Il était autrefois doté d'un autel, aujourd'hui disparu. Ces oratoires étaient fréquents à l'époque dans les églises romanes, on les retrouve à Tournus et à Vézelay.

Remarquons d'ici que la grand'nef est bâtie en trompe-l'œil : pour corriger l'effet de la perspective, elle va en s'évasant progressivement; entre les deux piliers d'entrée la largeur est de 4 m 80 et près du sanctuaire on mesure 5 m 70; soit une différence de 0 m 90.

Le Maître-Autel
et le Tombeau de Saint-Andoche

L'ancien maître-autel, de style Louis-Philippe, tout en marbre blanc, a été heureusement remplacé en 1950 par un autel dans le genre roman dont la table, qui pèse deux tonnes, abrite le tombeau de saint Andoche; les colonnes qui supportent cette table sont ornées de sculptures dont les motifs sont empruntés aux pieds-droits et colonnes du portail. De plus les deux colonnes qui font face aux fidèles portent les images de saint Thyrse et de saint Félix, sculptées en relief peu accentué. Ce nouvel autel fut consacré le dimanche 14 octobre 1951 par S. Exc. Mgr Sembel, évêque de Dijon.

Le tombeau de saint Andoche dont les parties anciennes datent du IVe siècle (époque constantinienne) avait vu toutes les invasions, la destruction des deux premières églises, l'incendie de 1359, il avait échappé à la fureur des révolutionnaires... Hélas! en 1802 il fut vendu par un acquéreur de biens nationaux à un marbrier dijonnais, le sieur Paluet, qui le scia pour en faire des cheminées de plaquage! Quelques lames servirent à réparer l'autel mutilé de la cathédrale de Dijon et celui de l'Hôpital général de cette ville... Après seize siècles, le tombeau de saint Andoche contribuait à la restauration de l'autel de saint Bénigne, son compagnon d'apostolat! Rachetés en 1848 par M. Lallemand, curé-doyen de Saulieu, les fragments ainsi récupérés entrèrent dans la reconstitution que l'on voit aujourd'hui, œuvre de M. Marion, architecte et sculpteur à Semur-en-Auxois. Ce sarcophage, en marbre de Carrare, mesure 1 m 80 de long, 0 m 80 de haut, 0 m 60 de large. Il est creusé en forme d'auge, arrondi aux extrémités et fermé d'un couvercle très bombé. L'insigne le plus marquant est le monogramme du Christ, composé des deux premières lettres de Christos gravées l'une sur l'autre, le X (Ch) et le P (forme grecque de R), dans une double circonférence, avec l'Alpha et l'Oméga. Ce monogramme se retrouve également sur le couvercle avec des figures géométriques. On y remarque encore une bordure de pampres et de raisins — une hache, non celle des licteurs romains mais l'instrument du glorieux martyre — un cerf, assez fruste mais plein de vie, rappelant le cantique « Sicut cervus desiderat ad fontes aquarum », symbole du

chrétien qui aspire aux rafraîchissements de la grâce divine — une croix grecque aux quatre branches égales élargies aux extrémités, dite croix pattée, survolée par deux colombes. Notons enfin le signe runique tiré des anciens alphabets scandinaves et qui s'apparente à notre lettre N. Un mélange de motifs païens et de motifs chrétiens laisse à penser que ce sarcophage fut à l'origine une sépulture païenne. Il a contenu les restes de saint Andoche jusqu'en 1119, année de la consécration de l'église par le pape Calixte II qui le remonta alors de la crypte et mit les reliques dans des coffres de bois.

Le Sanctuaire

A l'entrée du sanctuaire et dans le chœur, il faut noter quelques statues, datant des XVIe et XVIIe siècles (3). Que dire des tableaux qui ornent les murs? Ils ne présentent qu'un médiocre intérêt.

Il n'en est pas de même des stalles. Elles sont du XIVe siècle; autrefois au chancel, c'est en 1704 qu'elles ont été placées dans l'abside et elles ont eu à souffrir en raison de leur adaptation à ce nouvel emplacement. Elles ont encore beaucoup plus souffert sous la Révolution : tous les panneaux historiés ont disparu sauf deux, une fuite en Égypte et une annonciation fort mutilée. Dans les écoinçons étaient les armes des occupants de jadis; malgré les mutilations, on reconnaît encore les armes de Bourgogne et celles du chapitre de la collégiale : la crosse et l'épée victorieuse. Les dais n'existent plus mais elles ont conservé les figurines des accoudoirs; à signaler : une petite morvandelle au traditionnel bonnet finement tuyauté, deux morvandiaux coiffés de leur bonnet de laine, des reines, des moniales, des abbés mitrés, des moines, des chevaliers, des animaux fantastiques. Elles ont enfin, au XVIIIe siècle, été recouvertes d'une triple couche de peinture!!!

Nous avons réussi à décaper le panneau de la fuite en Égypte mais, désagréable surprise, apparurent alors des mutilations, atténuées par les couches de peinture, des visages affreux et défigurés. Une restauration faite à la cire a heureusement fait reparaître les beaux visages d'antan. Bien des visiteurs se demandent pourquoi ce panneau a été respecté par les iconoclastes de la Révolution. Voici une explication fort plausible : saint Joseph, qui conduit l'âne, porte au cou, comme tout bon bourguignon, le traditionnel petit baril; la Vierge, sous les traits d'une bonne matrone, elle aussi du terroir, allaite son petit Jésus, vêtu de la lacette croisée — maillot bourguignon. Les sans-culottes de 93 se sont sans doute plu à voir là une scène de la vie courante : le départ pour la vendange!

131

(suite à la page 150)

TABLE DES PLANCHES

NOTA. — Toutes les photos ont été prises avec l'éclairage naturel. Les reflets sont dus au jeu du soleil sur les dalles, et non à des effets savants de projecteurs. Nous nous permettons de le signaler ici. Comme aussi d'ajouter que nous avons toujours travaillé sur les chapiteaux originaux et non sur leurs moulages.

44

45

46

47

49

53

54

57

58

59

60

62

63

64

65

66

67

DIMENSIONS

Longueur totale actuelle : 42 m 50 du portail au fond de l'abside.

Longueur totale avant l'incendie de 1359 : de 65 m 50 à 70 m environ.

Longueur du transept (détruit) : 8 m 60.

Largeur totale : 25 m environ.

Largeur de la nef : 5 m 90 au commencement de l'abside. 4 m 80 près du porche, soit 1 m 10 de plus auprès du chœur qu'à l'entrée.

Largeur des bas-côtés : 4 m 20.

Hauteur de la nef : 17 m 80 ; 18 m 80 au pavement ancien.

Hauteur des voûtes des bas-côtés : 7 m 85 ; 8 m 25 au pavement ancien.

Hauteur de la tour à toiture basse : 26 m.

Hauteur de la tour à double dôme : 43 m (tour : 30 m ; dôme : 13 m).

Largeur des piliers à la base : 1 m 75.

Circonférences des piliers : 5 m 20 à 5 m 25 (variable).

Distance d'un pilier à l'autre : de 3 m 15 à 3 m 33 (très variable : 3 m 33 vers l'abside).

Largeur d'un chapiteau : 0 m 80 au tailloir.

Hauteur d'un chapiteau : 0 m 90 du tailloir à l'astragale.

Dimension de la tête de Balaam : 0 m 15.

Dimension de la tête du diable de la Tentation au désert : 0 m 20 de large (de la chevelure à la bouche) et 0 m 16 de haut.

Dimension de la tête du Christ de l'Apparition à Madeleine : 0 m 15.

Largeur du portail du cloître : 2 m 30.

Hauteur du portail du cloître : 3 m 23.

Le Trésor

Au fond du chœur, dans une sorte de placard, le trésor. Deux reliquaires modernes en cuivre doré ; l'un contient le chef de saint Andoche, avec d'autres parcelles de moindre importance, et l'autre des reliques de saint Symphorien d'Autun, et de saint Félix. Les reliques de saint Thyrse ont disparu mais on nous signale que quelques-unes de celles-ci sont en l'église de Bas-en-Basset (Haute-Loire), offertes en 1140 à cette église par Ponce de Rochebaron, évêque de Mâcon ! Un petit reliquaire à monture d'argent à six lobes, entouré d'un filet de vermeil, ainsi que la monstrance avec émaux cloisonnés verts et bleus et fleurettes en or, du XIVe. Un éperon en bronze doré avec molette en étoile richement damasquiné, rapporté des Croisades par un chevalier bourguignon et offert en ex-voto. Un autre petit reliquaire à deux volets ovales de sainte Jeanne de Chantal, offert aux chanoines de la collégiale par sa petite-fille, la marquise de Sévigné. Celle-ci se souvenait que son oncle, André Frémiot, avait été doyen de Saulieu en 1602, avant d'être archevêque de Bourges, mais il y avait encore autre chose !.. Le 29 août 1677, la belle marquise, accompagnée de son cousin le comte de Guitaut d'Epoisses, s'arrêtait à Saulieu, à l'hôtel du Dauphin (actuellement nº 15 de la rue Danton) et au cours d'un copieux repas, trop bien arrosé, elle s'était grisée ! Elle fit part de son aventure à sa fille, Mme de Grignan, qui lui répondit qu'elle s'était fort amusée « qu'il y avait eu du vin répandu ». La marquise dut faire amende honorable et, ne cherchons pas à savoir pourquoi, à droite de la chapelle des fonts, se voit une belle statue de vierge bourguignonne allaitant son enfant Jésus et qui ressemble étrangement à l'aimable marquise avec sa fossette au menton et ses anglaises (coiffure à la mode de l'époque). Que Dieu lui pardonne comme il a pardonné à Noé, la première victime du jus de la treille !

La pièce la plus remarquable du trésor est à la sacristie, c'est le « *Missel de Charlemagne* ». Il y a là en réalité deux pièces distinctes : la couverture et le manuscrit. La couverture se compose de deux plaques d'ivoire du VIe siècle encastrées sur deux plateaux de bois de hêtre et lamés d'argent repoussé (travail à la main et d'un fort bel effet décoratif) — du XIIe. A l'intérieur : un manuscrit sur parchemin du XIe qui a remplacé le manuscrit primitif disparu aux invasions ; c'est le texte, en bas latin, avec beaucoup d'abréviations, sans enluminures, de tous les évangiles des dimanches de l'année liturgique. Le missel est donc devenu évangéliaire. Les ivoires représentent : d'un côté le Christ en majesté avec saint Pierre et saint Paul, et, de l'autre, une Vierge tenant sur ses genoux l'Enfant-Jésus, entourée de deux anges adorateurs ; influence byzantine manifeste. Ce précieux joyau nous fut enlevé aux inventaires et déposé aux archives départementales à Dijon ; il a été rendu à la basilique en 1935 par les soins de M. le docteur Roclore, ancien ministre et maire de Saulieu (4).

Le Portail du Cloître

Au collatéral Sud, un petit portail s'ouvre sur ce qui était autrefois le cloître ou la salle capitulaire. Il est en plein-cintre avec comme décoration un premier rang de pointes de diamant et un second rang de billettes ou bûchettes alternées, encadrées par un filet avec doucine ; le tympan est orné d'un trèfle. L'ensemble a un aspect bien monacal, sévère et sobre, d'un goût parfait (pl. 63). Ce portail est encadré par deux statues en pierre du XVIIe siècle : à droite, un capucin, et à gauche, un pèlerin avec le bâton de voyage et la coquille de Saint-Jacques. La maison des chanoines, qui communiquait avec l'église par ce portail, a été vendue comme bien national à la Révolution.

Dans la travée voisine, un immense Christ en bois du XVIe ; autrefois à la tribune et caché par l'orgue, il est heureusement mis en valeur et produit un grand effet.

Saint-Andoche, Basilique

Tout au cours de ces pages, nous avons donné à notre église le titre de basilique ; elle le fut en 306 puis cessa de l'être mais elle l'est de nouveau et pour toujours. Par un bref du 10 novembre 1919, le pape Benoît XV, répondant favorablement à une supplique de Mgr Landrieux, évêque de Dijon, déclarait : « ... de par notre autorité apostolique... nous élevons l'église paroissiale de Saint-Andoche de Saulieu, au diocèse de Dijon, à l'occasion heureuse du retour du huitième centenaire de sa consécration remémorée, au rang et à la dignité de basilique mineure et nous lui accordons tous les privilèges et honneurs qui appartiennent de droit aux basiliques de cette vénérable Ville (la ville de Rome)... Nonobstant toutes choses contraires. » Le 21 décembre suivant, jour même de l'anniversaire — 21 décembre 1119 — de grandes et somptueuses fêtes eurent lieu en la présence des évêques de Dijon et d'Autun, pour célébrer huit siècles d'histoire et le titre de basilique concédé à notre chère église.

NOTES

1 CROTINE. *CE NOM, EN APPA-RENCE BIZARRE, VIENT DU MOT* latin « crotum » *qui signifie creux.*

2 TRIBUNE. ELLE EST ORNÉE DE SEIZE PANONCEAUX A FENES-trage gothique; un grand rinceau décore la partie basse, il est composé de guirlandes de feuilles de vigne, avec des nymphes, des oiseaux, une salamandre (armes de François Ier). La poutre maîtresse est supportée par deux arcs en plein-cintre qui se rejoignent et forment un pendentif. Aux extrémités, elle est soutenue par deux anges. Face à la nef, le motif de ce pendentif représente, sur un écu tenu par deux anges, l'ancienne porte Notre-Dame (à l'extrémité de l'actuelle rue Vauban) et, face à la porte d'entrée, un buste de fou coiffé du traditionnel bonnet et tenant une banderolle sans inscription. La poutre supérieure, qui forme accoudoir, est engueulée de deux têtes de salamandres. Le plafond à la française a ses poutres sculptées.

3 STATUES DU SANCTUAIRE ET DU CHŒUR. *A L'ENTRÉE DU SANC-tuaire, au pilier de gauche, un saint Roch et son chien, malheureusement décapité, pierre polychrome du* XVIe; *au second pilier, une Vierge orante en bois polychrome, reste d'un calvaire,* XVIe; *au premier pilier de droite, une curieuse Vierge à l'Enfant, école champenoise du* XVIe, *l'Enfant qu'elle se prépare à allaiter se détourne et lui cache une croix qu'il tient en mains comme pour ne pas affliger sa mère; au pilier suivant, un saint Roch en bois, du* XVIe. *Dans le chœur, quatre grandes*

statues en bois doré du XVIIe, provenant de l'ancienne chapelle des Ursulines : saint Augustin, sainte Claire, sainte Ursule et saint Ambroise.

4 SACRISTIE ET CHAPELLES. A LA PORTE DE LA SACRISTIE, STATUE en bois de sainte Anne, sculpture bourgui-gnonne du XIVe. La sacristie est l'ancienne chapelle du cardinal Jean Rollin, avec, à la clé de voûte ogivale, les armoiries de son fondateur, mort en 1483; elle est meublée de boiseries Louis XV. A gauche de la sacristie, la chapelle de Notre-Dame de Pitié ou du Collège, fondée en 1492 par Hugues de Clugny, seigneur de Conforgien. De l'autre côté de la sacristie, chapelle de saint Crépin — aujourd'hui de sainte Anne — avec voûte en étoile, liernes et tiercerons, piscines en accolade; début du XVIe.

Dans le collatéral Nord, la chapelle Saint-Georges, fondée par Ferry de Grancey, évêque d'Autun qui y fut inhumé (1436); on y remar-quera de curieux culots de retombées d'ogives avec têtes et armoiries, parmi autres celles de la collégiale. A côté, et communiquant avec elle, la chapelle des fonts (depuis 1802), ancienne-ment dépositoire des moines. C'est une chapelle romane remaniée, précédée d'une entrée en voûte surbaissée (anse de panier) et éclairée par une fenêtre à meneaux obliques. Au mur du fond, un tableau, le baptême du Christ, peinture sur soie remontée sur bois. A gauche de l'entrée de cette chapelle, statue en pierre d'un pape, debout, coiffé de la tiare et tenant le bâton pastoral à trois branches : Calixte II, le consécrateur de l'église... Pourquoi pas? Un peu plus loin, fixée au mur, une pierre tombale gravée (XVe s.) celle de Hugues Guijon et de sa femme Gérarde Collot.

EN GUISE DE CONCLUSION

Telle est la poignante aventure de notre église. Tour à tour basilique, église royale, abbaye, collégiale, église paroissiale et à nouveau basilique, elle reste, malgré son long martyre et ses mutilations, une église aimée et admirée pour ses trésors inestimables. Certains ne manqueront pas de mettre en doute la valeur de nos chapiteaux que nous regardons comme les plus beaux de Bourgogne. Nous avons admiré sincèrement ceux de Vézelay, d'Avallon, d'Autun, de Paray-le-Monial, de Beaune et tant d'autres ; à notre avis les nôtres leur sont supérieurs... et puis, voilà quarante-huit ans que nous les admirons, il nous est bien permis de les aimer et de les faire aimer par ceux qui, pour la première fois, ont le plaisir de les étudier et qui nous rendent justice en se rangeant, sans arrière-pensée, à notre humble appréciation !

GEORGES BARBIER

AUTUN

On ne présente pas Autun, et moins encore l'Abbé Grivot...

Autun s'impose toujours davantage. Depuis que l'on répand — enfin — des documents justes, des reproductions fidèles sur la statuaire d'Autun, sur l'œuvre du fameux Gislebert, le renom s'est emparé de cette cathédrale : l'une des plus belles de France, en dépit de ses restaurations, de ses ajoutes, et de l'exiguïté de ses proportions.

Quant à l'Abbé Grivot, nous l'avons trop de fois présenté pour qu'il soit nécessaire d'y revenir une fois de plus. En remettant un beau jour en place le chef du Christ, au tympan, il accomplissait plus qu'un geste matériel, sans trop y songer : il exprimait inconsciemment le sens de son effort, l'orientation précise de sa tâche, un effort et une tâche à laquelle nous sommes fiers d'avoir déjà plusieurs fois — et aujourd'hui encore — collaboré.

LISTE COMPLÈTE DES PERS
ONNAGES, DES ANIMAVX ET DES IN
STRVMENTS TENVS PAR CES PERSONNAG
ES ET CES ANIMAVX SCVLPTÉS AV DO
VZIÈME SIECLE, PAR GISLEBERTVS
ET SON ÉQVIPE DANS LA CATH
ÉDRALE D'AVTVN

*CE QUI SUIT EST LA LISTE DES OBJETS
SCULPTÉS DANS LA CATHÉDRALE, AU-
DESSUS DES PILIERS OU A TRAVERS LE
TYMPAN, AU DÉBUT DU XIIe SIÈCLE,
C'EST LE RELIQUAIRE DE LA CATHÉ-
DRALE D'AUTUN :*

La terre toute ronde, portée par l'Enfant-Jésus,
pendant la fuite en Égypte,
ou peut-être tout simplement, une pomme :
au XIIe siècle, c'est la même chose parce que la
pomme est le symbole de la terre
le soleil du jugement dernier
et la lune
l'étoile des Mages à deux reprises
le lit où reposait la Vierge au temps de la Nativité
le lit des Mages, celui qui a servi aux trois Mages à la
fois
les selles des chevaux des Mages
la selle de l'âne de la fuite en Égypte
Balaam, lui, chevauchait, sans selle
la selle du cheval du grand empereur Constantin
la selle du cheval de saint Eustache
la pierre sur laquelle Jacob passa la nuit
les sept pierres qui ont servi à lapider saint Étienne
la pierre de la tentation du Christ, celle que le diable
ramassa
les tables de loi de Moïse, sans rien d'écrit dessus
la besace de Jacob, celle qu'il utilisa pour aller en
Paddan-Aram, chez Bathuel, frère de sa mère
les deux besaces des pèlerins du ciel
la besace de Jésus-Christ pèlerin sur la route de
Jéricho
la besace de David contenant probablement les
cinq cailloux polis, choisis avec soin dans le torrent
l'arche de Noë, en parfait état

la fosse aux lions, avec Daniel dedans

les quatre urnes d'où viennent les quatre fleuves du Paradis.

car il y avait quatre fleuves dans le Paradis

la chaudière où furent jetés les trois jeunes Hébreux

la casserole du prophète Habacuc, où il avait préparé sa soupe qui servit à nourrir Daniel

la bassine du lavement des pieds

la cuvette dans laquelle on plongea l'Enfant-Jésus

le cuveau du vendangeur, au mois de Septembre

le cuvier de Siloë, qui représente la piscine

le calice de l'autel de la Présentation

le calice de la charité

les trois cadeaux des Rois Mages, qui sont l'or, l'encens et la myrrhe, tous les trois en pierre

le tonneau de l'ivrogne; on pense qu'il est vide

les vases d'aromates des Saintes Femmes

les offrandes des dames de compagnie à la Présentation

la hotte du paysan, en Novembre, celle où il met son bois

la corde qui servit à pendre Judas, toute nue

la corde de l'âne de saint Joseph, bien décorée, soigneusement décorée

toute neuve

la corde de la bourrique de Balaam,

cassée

la chaîne qui ligota saint Pierre par le cou

la corde qu'utilisa David pour capturer un ours

le grappin à deux dents d'un diable de chapiteau

un autre grappin à deux dents d'un autre diable du tympan

le bâton en tau, c'est-à-dire comme cela : T, de Moïse

le bâton en tau, c'est le bâton des magiciens

le bâton en tau du pauvre Lazare

le bâton de voyage de Jacob, avec sa sacoche pendue au bout

un gourdin tenu par un personnage inconnu

le bâton du gardien de cochons, en Octobre

les deux bâtons doubles des pèlerins

le bâton double de Jésus-Christ pèlerin

le gourdin d'un personnage inconnu du Zodiaque, ce personnage a tout l'air d'en triquer un autre

le bâton de David, celui qui lui servit à capturer un ours

le gourdin de saint Joseph, un fameux gourdin, celui de la fuite en Égypte

le bâton du monteur d'hyppogriffe
le bâton de Balaam, reconstitué par Viollet-le-Duc,
l'original ayant été détruit au XVIIIᵉ siècle;
le chapiteau d'Autun étant une réplique de celui de
Saulieu,
le bâton de Balaam, patron des magiciens, devait être
un gourdin en tau, et non pas un bâton ordinaire
Après une pareille énumération de bâtons et de
gourdins, il faut s'arrêter et méditer sur les multiples
usages qu'ils avaient au Moyen Age
l'épée du chasseur de basilic
l'épée du monteur d'hyppogriffe
l'épée du désespoir
l'épée du nain à cheval sur sa grue
l'épée qui devait servir à Abraham pour tuer Isaac
l'épée de l'ange armé lors de la deuxième tentation de
Jésus-Christ
la fronde du petit David
l'épée du géant Goliath
l'épée de l'ange qui sépare les élus damnés
la lance de saint Eustache
l'arc à flèches de Lamech
la flèche qui tua Caïn par hasard;
on la voit au départ et à l'arrivée
l'arc et la flèche du sagittaire de Novembre
l'arc et la flèche du sagittaire chasseur de basilic
la fronde du faune
la hache du tueur de cochons, en Décembre
la hache d'un bûcheron
le marteau du diable de la luxure
la serpe du bûcheron de Novembre
la faux du paysan de Juillet
le fléau du paysan d'Août
les gonfanons des gémeaux de Mars
le bouclier du guerrier de Mai
le bouclier du faune
l'outil de saint Jérôme, un outil de chirurgien
les deux crosses de deux évêques se rendant au ciel,
car au XIIᵉ siècle les évêques se rendent au ciel
la crosse cassée de l'évêque donateur
la clef de saint Pierre à la porte du paradis
la clef de saint Pierre le jour de l'ascension du magicien Simon
la clef de saint Pierre le jour de la chute du magicien
Simon

INVENTAIRE   D'AUTUN   159

la clef du gardien de la prison de saint Pierre,
parce qu'il est arrivé à saint Pierre de se faire enfer-
mer à clef

le garrot de la jambe blessée du gardien de la prison
de saint Pierre

je n'ai pas encore trouvé pourquoi le gardien est
blessé à la jambe

les huit clochettes du tintinnabulum

les quatre trompettes des anges du Jugement dernier

le cor de saint Eustache

le cor du guerrier de Mai

les sept violes des vieillards de l'Apocalypse

le livre de Jésus-Christ à Siloë

l'Évangile de l'apôtre saint Matthieu

le trône de Notre Seigneur Jésus-Christ pour le jour
du jugement

le trône de la Vierge Marie pour le même jour

le siège de Jésus-Christ lors de la seconde tentation
car Jésus-Christ avait le droit de rester assis en présence du diable

le siège de saint Joseph sur lequel il dormait le jour
de la nativité

le siège de saint Joseph sur lequel il réfléchissait le
jour de l'adoration des Mages

le fauteuil bien sculpté de saint Pierre au moment du
lavement des pieds

le torchon du lavement des pieds

les fausses ailes de Simon le magicien à deux reprises

le sac plein de sous pendu au cou de l'avare, sur le
tympan

les deux sacs de sous du diable de l'avarice

la balance du Jugement dernier, celle qui nous pèsera
tous

la balance du Zodiaque, celle qui ne pèse rien

la croix du cerf de saint Eustache

la croix piquée sur la besace du pèlerin

la coquille Saint-Jacques de l'autre pèlerin

la loupe du chasseur de basilic

parce que pour chasser le basilic il faut avoir une
loupe

les deux bottes de blé du paysan en Août

le couteau du paysan en Janvier

la miche de pain du paysan en Janvier

la table et le banquet du mauvais riche
la nappe de la table
le pommier du paradis terrestre
la pomme qui perdit notre mère Eve
et nous avec
l'arbre fruitier du mois de Juin
le chêne et ses glands pour les cochons
le sycomore du petit Zachée
les quatre fleuves du paradis
la porte de la prison de saint Pierre
la prison de saint Pierre
la porte étroite du ciel
le ciel en entier
l'enfer en entier
le sommet du temple de Jérusalem
la maison d'Anne
la salle du festin, celle que Samson ébranla
la maison de la Vierge Marie où les Mages vinrent
adorer
la maison du petit Zachée
la cathédrale en petit
le bonnet de saint Joseph
l'autre bonnet de saint Joseph
le troisième bonnet de saint Joseph
les sept couronnes des Rois Mages :
     trois couronnes lorsqu'ils dorment
       parce que des rois dorment
       toujours avec leurs couronnes
     trois couronnes lorsqu'ils adorent
       il y en a même un qui l'enlève
       parce qu'il est poli
     une couronne lorsqu'ils arrivent devant Hérode
       le chinois n'en a pas, on ne sait pas pourquoi
       le byzantin en porte une,
       c'est normal
       quant au roi européen, il a perdu sa tête
cela fait bien sept couronnes
et les seize cercueils des ressuscités

c'est tout.

MAINTENANT C'EST LE CHAPITRE II,
AVEC LA LISTE DE TOUS LES PERSON-
NAGES SCULPTÉS AU XIIe SIÈCLE DANS
LA CATHÉDRALE : CEUX QUI RESTENT

Notre mère Ève

notre père commun Adam a disparu, il doit se trouver dans un mur de maison à Autun

Caïn à l'instant où il meurt, frappé par une flèche

Lamech qui tua Caïn par hasard

Tubal Caïn, un enfant qui fut tué par Lamech, de dépit, ce sont les rabbins qui racontent cette histoire on n'est pas obligé de les croire.

Noë à la fenêtre de son arche

les livres saints nous disent qu'il avait six cents ans; il planta sa vigne et vécut encore trois cent cinquante ans c'est beaucoup

la famille de Noë, soit cinq personnes

Abraham, épée en main, alors qu'il se prépare à frapper Isaac

Abraham encore, quand il met à la porte sa servante Agar

Abraham dans le ciel tenant le pauvre Lazare dans son sein

Isaac, un jeune garçon tout craintif qui attend le coup de couteau

Sara la femme d'Abraham; elle s'amuse bien de voir Agar à la porte

Agar mise à la porte

Ismaël, son fils, un jeune garçon mis à la porte parce qu'il a ri un peu trop fort

Jacob qui se sauve, besace au dos

Jacob qui prend sa pierre pour faire un autel

Jacob qui se bat avec son ange

Moïse furieux, table en main
Balaam le coquin, sur sa bourrique
Samson aveugle conduit par un jeune homme
le jeune homme qui conduit Samson
Samson arc-bouté après la colonne de la salle
quatre des convives du banquet qui pensaient
s'amuser et qui sont morts
le petit David avec son ours
le petit David avec sa fronde
le petit David avec la tête de Goliath
le grand Goliath qui dégringole sans tête
Daniel dans la fosse
Habacuc entre ciel et terre, au-dessus de la fosse
les trois petits Hébreux dans le feu
les deux chauffeurs de la chaudière

Voilà pour l'Ancien Testament
C'est tout du beau monde à l'exception de Caïn, de
Balaam le coquin, des quatre banqueteurs, du grand
Goliath et des deux chauffeurs

Nous entrons maintenant dans le Nouveau Testament

Jésus-Christ est représenté douze fois
l'Enfant Jésus de la Nativité dans une petite baignoire
l'Enfant Jésus de l'Adoration des Mages sur les genoux de sa mère.
l'Enfant Jésus de la Fuite en Égypte sur les genoux de sa mère
l'Enfant Jésus de la Présentation dans les bras de saint Joseph
le Christ Jésus debout, tenté par le diable pour la première fois
le Christ Jésus, assis, docteur, tenté par le diable pour la deuxième fois
le Christ Jésus, un livre à la main, guérissant l'aveugle à Siloë
le Christ Jésus sur la route avec le bâton et la besace guérissant l'aveugle à Jéricho
le Christ Jésus, debout, dans une scène dont je n'ai pas trouvé l'explication
le Christ Jésus à genoux, devant saint Pierre pour le lavement des pieds
le Christ Jésus glorieux, apparaissant à Marie-Madeleine
le Christ Jésus immense entouré de la Gloire, porté par quatre anges, le jour du jugement
c'est pour lui qu'on a élevé la cathédrale

la Vierge Marie est représentée sept fois
la Vierge Marie recevant l'ange de l'Annonciation
la Vierge Marie couchée le jour de la Nativité
la Vierge Marie le jour de l'Adoration des Mages :

elle est belle
la Vierge Marie sur l'âne, en route pour l'Égypte :
elle est belle
la Vierge Marie le jour de la Présentation, elle porte
deux colombes
la Vierge Marie de l'Assomption

saint Joseph est représenté quatre fois
saint Joseph le jour de la Nativité, il dort
saint Joseph le jour de l'Adoration des Mages, il
songe
saint Joseph en route pour l'Égypte, il tient la corde
de son âne
saint Joseph le jour de la Présentation, il porte
l'Enfant-Jésus, c'est rare

saint Pierre est représenté six fois
saint Pierre assis sur un beau fauteuil se fait laver les
pieds par Jésus-Christ, il n'a pas de clef
saint Pierre est assis en prison, la chaîne au cou, il n'a
pas sa clef, c'est le gardien de la prison qui l'a
saint Pierre est reçu par Rhodé à sa sortie de prison;
la servante est si heureuse qu'elle en oublie d'ouvrir
la porte et se fait traiter de folle, et saint Pierre n'a pas
sa clef
saint Pierre est debout le jour de l'ascension du magicien Simon, il a sa clef, énorme
saint Pierre est debout le jour de la chute du magicien,
le même jour, il a sa clef, énorme
saint Pierre debout à la porte du ciel, tonsure en
tête
comme un bon prêtre, il a sa clef, énorme
presque aussi grande que lui,
aussi grande que vous
aussi grande que moi
une grosse clef

les apôtres
l'apôtre saint Jean tient son Évangile
on lui a gratté la tête au XVIIIe siècle
l'apôtre saint Matthieu tient son Évangile
l'apôtre saint Jacques à côté de son frère Jean
les huit apôtres qui restent
un apôtre, je ne sais pas lequel,
cela n'a pas d'importance,

à la guérison de l'aveugle de Jéricho; il a l'air de
disputer Jésus-Christ :
ce doit être saint Pierre
un apôtre, je ne sais pas lequel, à la guérison de
l'aveugle de Siloë
deux apôtres au lavement des pieds
il y en a un qui porte de superbes souliers
celui qui se déchausse
Judas pendu au bout de sa ficelle, la gueule ouverte

les anges maintenant
J'en ai compté trente, bien comptés
l'ange qui assiste Jésus-Christ lors de la première
tentation
l'ange qui assiste Jésus-Christ lors de la deuxième
tentation
l'ange qui réveille les Mages, du bout du doigt, tout
doucement
l'ange qui se bat avec Jacob
parce que les anges se battent quelquefois
l'ange qui est venu consoler Joachim,
c'est la légende qui le dit
l'ange qui est venu consoler Anne,
c'est la légende qui le dit
l'ange qui empêche Abraham de tuer Isaac
il tient un bélier par le cou
il le serre bien fort
le bélier a l'air étranglé : c'était temps
l'ange qui tient ce peureux d'Habacuc
par la crinière
comme un vulgaire chat
l'ange qui protège les trois petits enfants dans la
fournaise
l'ange qui annonce la grande nouvelle à la Sainte
Vierge
l'ange qui assiste Jésus-Christ à la guérison de
l'aveugle de Siloë
l'ange qui assiste Jésus-Christ à la guérison de
l'aveugle de Jéricho
l'ange assis sur le tombeau de Jésus-Christ pour recevoir les Saintes Femmes
l'ange qui rend visite à saint Pierre dans sa prison
les quatre anges qui soutiennent la Gloire du Christ
au tympan
je n'ai jamais rencontré pareille élégance
les quatre anges qui sonnent de la trompette

aux quatre coins du ciel
aux quatre coins du tympan
les deux anges qui portent la Sainte Vierge au ciel
l'ange qui sépare les damnés et les élus sur le linteau, avec une épée
l'ange qui accompagne les élus, sur le linteau
l'ange qui introduit au ciel, sur le tympan
l'archange saint Michel qui préside à la pesée des âmes
je n'ai jamais rencontré pareille noblesse
l'ange qui reçoit la cathédrale dans le ciel
l'ange du Zodiaque qui indique le mois d'Août

Après les anges, les diables : il y en a dix-huit plus un certain nombre de monstres
le diable qui désosse le mauvais riche
le diable qui tente Jésus-Christ la première fois, velu
le diable qui tente Jésus-Christ la deuxième fois, pas velu
le diable qui rit, parce que le diable rit quelquefois, derrière le magicien Simon
le diable qui rit, parce que le diable rit quelquefois, au-dessus du veau d'or
le diable du désespoir, une épée dans le ventre
le diable de l'avarice, deux sacs de sous en mains
le diable de la luxure, dégoûtant
le diable qui crochette un damné
le satané Satan, un serpent aux deux bouts
la gueule du diable dans un coin de porte
les deux diables pendus au bout de la corde de Judas
les cinq diables du tympan
Faites attention il y en a partout, dans les quatre coins de la cathédrale
ils sont splendides

Les personnages de l'Évangile et des évangiles apocry-
phes : l'histoire et la légende, mais faites bien attention,
on sait très bien ce qui est la légende et ce qui est l'his-
toire :

Joachim qui s'en va dégoûté parce qu'il a été mis à
la porte du Temple
Joachim qui garde son troupeau, à savoir une chèvre
et un mouton
sainte Anne qui reçoit un ange
une personne, je ne sais pas qui, à côté de la Vierge le
jour de l'Annonciation
deux femmes s'occupant de l'Enfant-Jésus le jour de
la Nativité
les trois Rois Mages qui arrivent chez Hérode, il y en
a un qui a perdu sa tête mais je pense que je vais la
retrouver parce que je connais un dépôt de têtes
dans les combles de la cathédrale
les trois Mages qui adorent l'Enfant-Dieu ; ils ont
l'air de faire peur à saint Joseph
les trois Rois qui sont couchés dans le même lit ; pour
des rois, c'est bien
le méchant roi Hérode sur son trône
un soldat du méchant roi Hérode
le grand-prêtre Siméon, adossé à son autel le jour
de la Présentation
deux suivantes de la Vierge Marie ce même jour
l'aveugle de Siloë avant sa guérison
l'aveugle de Siloë après sa guérison
dans son cuvier
il est guéri, il a l'auréole, c'est un saint
l'aveugle de Jéricho, au moment de sa guérison
le patron des braillards
Zachée sur son sycomore
et Madame à sa fenêtre

un professeur de la maîtrise très versé dans les sciences sacrées prétend que ce n'est pas cela, mais il n'a pas de preuves tellement solides, alors j'attends
le mauvais riche à table
le pauvre Lazare, à côté de la table
le mauvais riche entre les pattes du diable nu comme un pou
le pauvre Lazare dans le sein d'Abraham vraiment dans le sein d'Abraham
il paraît que c'est là que nous serons au ciel, vous et moi, si nous y allons
Marie-Madeleine à genoux devant Jésus-Christ
quatre Saintes Femmes qui vont au tombeau
deux personnages inconnus, en présence de Jésus-Christ

Les premiers temps de l'Église

saint Étienne qui reçoit des cailloux sur la tête
sept individus qui lancent des cailloux sur la tête de saint Étienne
saint Vincent jeté sur le bord de la route
le gardien de la prison de saint Pierre
la servante, Rhodé, c'est son nom, qui ouvre la porte à saint Pierre ou plus exactement qui a oublié d'ouvrir la porte
Simon le Magicien qui fait le malin et monte au ciel
un compagnon de saint Pierre ce jour-là peut-être saint Paul
Simon le Magicien qui ne fait plus le malin parce qu'il tombe la tête la première
un moine derrière saint Pierre
je ne sais pas ce qu'il vient faire
d'abord il n'y avait pas de moines avec un capuchon au temps de saint Pierre
le grand empereur Constantin sur son cheval
un triste sire sous les pieds du cheval du grand empereur
saint Jérôme avec son lion
le saint avait un caractère assez difficile, il n'est arrivé à s'entendre qu'avec un lion
saint Eustache avec son cheval de chasse

Et maintenant toute sorte de monde

quatre personnages qui portent les urnes d'où cou-
lent les quatre fleuves du Paradis
un bandit de damné crocheté par un diable au fond de
la cathédrale
un monteur d'hippogriffe, à cheval
un autre monteur d'hippogriffe, à cheval
deux individus dans un arbre
je ne sais ce qu'ils font
M. Terret qui a écrit beaucoup de choses sur la cathédrale le sait
Mais M. Terret est beaucoup trop savant il sait trop
de choses
deux personnages qui tapent sur des cloches
on n'a plus idée de cela maintenant
un monteur de lion, à cheval sur son lion
et un autre personnage à côté
un chasseur de basilic avec sa loupe
un chasseur de dragon
un nain chasseur de grue
voilà bien des chasses abandonnées aujourd'hui
la charité, c'est un personnage
l'espérance, c'est un autre personnage
la luxure, c'est une femme
ce n'était pas forcé
bien qu'à cette époque-là la femme et le diable
c'était la même chose
un petit bonhomme un peu louche
deux individus qui surveillent le combat de leurs
coqs
deux autres qui jouent aux boules
un évêque qui offre son église
un seigneur qui en fait autant
un individu qui dort
et un enfant qui cueille des fruits
cinq personnages inconnus sur le tympan latéral
M. Terret sait qui ils sont, moi, je n'en sais rien

Il ne reste plus que le tympan

Dans le Zodiaque on commence par quatre inconnus
il y en a deux qui ont tout l'air de se battre

le paysan qui se chauffe l'hiver et qui coupe sa miche
le personnage qui porte une urne, c'est le Verseau, un
des signes du Zodiaque je vous expliquerai cela un
autre jour
le paysan qui se chauffe : tout à l'heure c'était en
Janvier, maintenant c'est en Février
le paysan qui taille sa vigne en Mars parce qu'ici
on n'est pas très loin du pays du bon vin, vraiment
du bon vin
le paysan qui sort les bestiaux en Avril
le soldat qui part en guerre en Mai
les deux gémeaux
le solstice d'été
le paysan qui cueille ses fruits en Juin et qui les
mange
le paysan qui aiguise sa faux en Juillet
le paysan qui bat son blé en Août
la femme qui tient une balance en Septembre
le vigneron qui pige son raisin en Septembre
le paysan qui sort ses cochons en Octobre
le paysan qui ramasse son bois en Novembre
le paysan qui tue ses gros cochons en Décembre
c'est en plein le pays
il y en a de beaux dans la région
sept des vieillards de l'Apocalypse
il n'y a plus de place pour les autres
quinze élus qui s'en vont au ciel
deux évêques qui s'en vont au ciel
un moine qui s'en va au ciel
on était respectueux au XIIe siècle
deux pèlerins qui s'en vont au ciel, à pied
un petit élu qui grimpe le long de la balance pour
aller au ciel

INVENTAIRE D'AUTUN 171

deux élus qui se cachent dans la robe de saint
Michel
seize damnés qui s'en vont en enfer, tout cassés
un ivrogne qui s'en va en enfer, c'est normal
un avare qui s'en va en enfer, avec ses sous
cinq damnés crochetés qui s'en vont en enfer
trois damnés qui sont dans la marmite
Ainsi soit-il

A cette liste il faut ajouter

un ange abîmé
un autre ange que le Metropolitan Museum of
New-York a récemment acquis
J'en suis sûr, c'est M. N... P... conservateur qui me
l'a écrit le 8 avril 1949, il m'a même envoyé la
photographie, il n'y a pas d'erreur possible
une Vierge en bois du XIIe siècle
qui se trouve au même endroit que l'ange parfaitement
les restes du tombeau de saint Lazare dispersés
un peu partout
au musée lapidaire
dans les combles de la cathédrale
au musée Rolin
et au musée du Louvre à Paris

A mon avis tout ce monde serait bien mieux ici

INVENTAIRE D'AUTUN 173

POUR TERMINER, VOICI LE BESTIAIRE DE LA CATHÉDRALE D'AUTUN

les deux aigles qui protègent saint Vincent deux
bons aigles
l'âne de la fuite en Égypte, tout content
la bourrique du faux prophète Balaam
la grue qui se fait tuer par un nain
la petite chouette dans le chœur
les deux gros cochons qu'on a engraissés
la colombe de l'Annonciation
les deux colombes de la Présentation
le cerf de saint Eustache
le chien du mauvais riche
le chien de saint Eustache
les trois chevaux des Mages, des chevaux de voyage
le cheval de saint Eustache
un cheval de chasse
le cheval de l'Empereur Constantin
un cheval de parade
le cheval du guerrier de Mai,
un cheval de guerre
la chèvre de Joachim
les deux chèvres du paysan d'Avril
le bélier d'Abraham
à moitié étranglé par l'ange
le bélier du Zodiaque en Mars
les deux coqs de combat
le capricorne de Décembre
l'écrevisse de Juin
la grue d'Esope

le mouton de Joachim
le lion de saint Jérôme, c'est un brave lion
il a une épine dans la patte
les quatre lions de la fosse de Daniel
ce sont des lions affrontés
deux autres lions dans le chœur
le lion de la chevauchée
et le lion de Juillet
ce qui fait bien des lions il faut d'ailleurs prêter
attention car certains sont doux comme des agneaux
mais les autres ce sont de vrais lions
le loup d'Esope
il a un os dans le gosier
comme celui de La Fontaine
un petit oiseau dans un arbre
quatre oiseaux au trumeau
l'ours de David, la corde au cou
deux petits ours dans le chœur
deux poissons en Février
deux serpents de diables au tympan
car chacun sait que les serpents et les diables c'est
la même chose
deux serpents de damnés au linteau
le serpent du satané Satan
le serpent du diable de la tentation
le serpent d'Eve évidemment
le scorpion du diable, au tympan
le scorpion d'Octobre
le taureau d'Avril
le veau d'or de Moïse
et les deux anonymes de l'arche de Noë

A ces soixante-dix animaux domestiques ou domes-
ticables il convient d'ajouter :

un faune poilu
une sirène à queue de serpent
un basilic à l'œil torve
un aspic à la sourde oreille
un dragon
un léviathan d'enfer
et un monstre
deux sagittaires
deux hippogriffes
et un oiseau tricéphale

tout cela au service du diable.

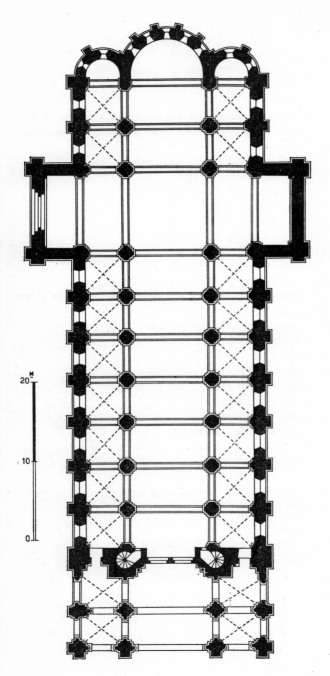

AUTUN

VISITE

PARCOURS DE LA CATHÉDRALE D'AUTUN

La cathédrale a été construite au début du XIIe siècle; commencée vers 1120, elle était presque achevée en 1146, c'est-à-dire vingt-cinq ans après.

Si on se place sous la tribune du grand orgue, on remarque la voûte en berceau brisé, voûte construite au XIIe siècle, commune en Bourgogne à cette époque; je m'excuse de vous signaler qu'il n'y a pas de croisée d'ogives; il n'est donc pas question d'une voûte gothique; dès la fin du XIe siècle, les constructions bourguignonnes utilisent cette forme de voûte. Vous ne serez pas sans remarquer la forme des piliers avec leurs cannelures (pl. 86), là encore, je m'excuse de vous signaler que ces cannelures n'ont été rajoutées ni à la Renaissance, ni au XVIIIe siècle; elles datent bien du XIIe siècle; un très grand nombre de piliers bourguignons portent ces mêmes cannelures : le roman d'Autun, très à l'avant-garde avec l'élévation et la distinction de sa voûte, conserve en même temps un aspect des plus classiques, des plus romains si vous voulez; sur une des portes romaines d'Autun, la porte dite d'Arroux, vous retrouverez ces cannelures, ainsi que la galerie fermée qui fait le tour de la cathédrale au-dessus des arcades et qui copie celle de la porte romaine. Cette galerie a toujours été fermée; on ne pouvait au XIIe siècle se permettre de l'ouvrir, toute l'épaisseur du mur étant nécessaire pour soutenir la voûte.

Vous êtes, maintenant, je l'espère, bien convaincu de vous trouver dans une église du XIIe siècle. Partez sur votre droite et regardez la nef latérale également du XIIe siècle, avec sa voûte d'arêtes; là encore, vous ne voyez pas de croisée d'ogives, tout était en pierre : la voûte principale de Vézelay a cette forme.

Ne regardez pas trop les chapelles qui sont sur votre droite, construites aux XVe et XVIe siè-

cles pour les chanoines; à cette époque, on avait quelque peu perdu le sens de la grande église pour assurer un culte privé, chacun dans son coin, avec une cloison bien étanche, mais une porte largement ouverte afin qu'il soit possible d'admirer les richesses accumulées. Ce n'est pas une critique pour les chanoines du XVe siècle, c'est une constatation. Il est bien évident que, premièrement, si j'avais vécu au XVe siècle; deuxièmement, si j'avais été chanoine d'Autun; troisièmement, si j'avais eu de l'argent, j'aurais fait comme les autres : ma chapelle, mon autel, mon vitrail, mon portrait et mon tombeau, tout cela de mon vivant, après avoir eu soin de détruire ce que mon prédécesseur aurait fait; c'est-à-dire son autel, son vitrail, son portrait et son tombeau.

Cela dit, levez plutôt la tête et regardez les sculptures du XIIe siècle placées au-dessus des piliers; ces sculptures sont célèbres; il y a de grandes chances pour qu'elles le méritent.

Sur le premier pilier, vous voyez le corps de saint Vincent étendu et protégé par deux aigles (pl. 75), c'est une légende vénérable.

Au troisième pilier, nous assistons à l'ascension de Simon le Magicien, personnage fort dangereux, patron des simoniaques, c'est-à-dire des gens qui essayent de vendre ou d'acheter Dieu; il paraît qu'ils étaient nombreux au XIIe siècle; ce Simon trouva le moyen de monter au ciel avec des ailes qu'il s'était fixées aux bras et aux jambes, à la stupéfaction de saint Pierre et de saint Paul dont la tête était en cause. Le second épisode se trouve sur le deuxième pilier juste en face : saint Pierre et saint Paul ont tellement bien fait leur prière que notre Simon retombe la tête la première (pl. 78). Continuez votre chemin et arrêtez-vous derrière la chaire; sur le pilier limitrophe vous pouvez voir le martyre de saint Étienne, lapidé par de mauvais sujets et faisant sa prière alors que les pierres restent figées sur sa tête.

Le pilier accosté à la table de communion supporte l'arche de Noé qui a la forme d'un panier, reposant sur le mont Ararat : de la fenêtre supérieure, Noé donne ses ordres, et à l'ouverture inférieure deux animaux regardent paisiblement le paysage.

Après avoir gravi deux marches vous arrivez à la croisée du transept que vous pouvez regarder le temps qu'il vous plaira. Lorsque vous aurez terminé, vous montez quelques marches et vous vous trouvez en présence de deux statues de marbre, datant du XVIIe siècle et représentant Pierre Jeannin et Anne Guéniot sa femme. Pierre Jeannin eut le mérite d'éviter à Autun la nuit de la Saint-Barthélémy, en désobéissant à son supérieur; cette fameuse nuit, personne, à Autun, ne passa par la fenêtre et cela, grâce à Pierre Jeannin.

Vous pouvez maintenant passer derrière l'autel et regarder l'abside; les deux étages inférieurs datent du XIIe siècle (les vitraux sont du XXe s.); il n'y a pas tellement longtemps que cette abside est dégagée; au XVIIIe siècle, elle fut cachée par des marbres très riches et très laids; ils ont été enlevés en 1939. La partie supérieure du chœur date de la fin du XVe siècle (les vitraux sont du XIXe siècle; ne les regardez pas trop longtemps). Sous l'autel construit au XXe siècle, se trouve le reliquaire de saint Lazare. C'est en l'honneur des reliques que vous voyez que l'Église fut construite; on fait une grande procession dans les rues, chaque année, en l'honneur de saint Lazare, le premier dimanche de septembre.

Sur l'autel, les chandeliers en bronze doré et ciselé pèsent très lourd; ils datent du XVIIIe siècle et sont d'un excellent travail.

En passant dans la chapelle de la Sainte Vierge, si vous êtes « croyant », vous faites une petite prière et vous redescendez vers le transept où vous pouvez voir l'escalier du clocher datant de la fin du XVe siècle. Vous laissez de côté, sur votre droite, une première chapelle fermée; c'est le débarras de la cathédrale; il en faut bien un; une deuxième chapelle dont le vitrail est épouvantable; une troisième chapelle qui ne présente rien d'extraordinaire, malgré un reliquaire sans valeur qui, je ne sais pourquoi, attire l'attention de tous les passants; je vous en prie, continuez.

Vous arrivez alors, en présence d'une chapelle dont le vitrail date du XVIe siècle; c'est le seul intéressant de la cathédrale; il représente l'arbre de Jessé, autrement dit, l'arbre généalogique de Jésus-Christ en remontant jusqu'à Jessé, père de David, ce dernier jouant de la harpe sur la gauche; Jessé est le personnage couché en bas regardant avec satisfaction sa descendance.

Dans la chapelle suivante se trouve un tableau d'Ingres représentant le martyre de saint Symphorien, l'un des premiers convertis d'Autun. Les avis relatifs à ce tableau étant les plus divers, je ne vous donnerai pas mon opinion, laisserai votre pensée aller libre cours, et vous conseillerai en sortant, de regarder sur le pilier qui se trouve en face de vous, les trois jeunes Hébreux faisant sagement leur prière dans la fournaise cependant qu'un ange les protège (pl. 79).

L'avant-dernière chapelle ne présente rien de spécial; regardez par contre dans la dernière, une vierge bourguignonne du XVe siècle en marbre, et puisque vous êtes dans le XVe siècle, jetez un coup d'œil sur le porte-orgue : c'est le travail correct d'un bon professeur de dessin.

Le Tympan. C'est l'un des plus célèbres du XIIe siècle, et cela parce qu'il est entier, parce qu'il est signé et parce qu'il est beau, cette raison étant la principale. Autour du Christ géant (pl. 69), présidant au Jugement dernier, quatre anges tiennent la « gloire »; ils volent et dansent de la façon la plus distinguée qu'on ait jamais vue. La Vierge admire, les apôtres s'étonnent, sauf saint Pierre qui assure l'entrée en bon ordre au ciel et tourne le dos au Christ (pl. 70). Saint Michel fait le bon poids, les diables ricanent, les damnés hurlent (pl. 71), les trompettes sonnent, il y en a quatre, les élus prennent d'assaut le ciel, les hommes sortent de leur cercueil, les uns tout illuminés, les autres tout secs et tout cassés. Prenez votre temps et choisissez votre place.

La Salle capitulaire. Au-dessus de la sacristie, un certain nombre de chapiteaux originaux ont été déposés au XIXe siècle et disposés fort élégamment par les soins de l'administration des Monuments Historiques. Il est bien évident que si vous disposez d'un quart d'heure, il faut, je dis bien, il faut chercher à voir ces chapiteaux; dans dix ans, vous ne garderez aucun souvenir du tableau d'Ingres (voilà que je me trahis), mais vous aurez encore présent à la mémoire l'âne de la Fuite en Égypte (pl. 80) ou la tête de saint Joseph, le jour de l'arrivée des Mages. Je ne vous en dis pas plus.

(On trouve normalement la clé de la salle capitulaire à la Maîtrise.)

DATES ESSENTIELLES

Vers 1120 Commencement de l'église.
1130 Consécration par le pape Innocent II.
1146 Translation des reliques de Saint-Nazaire à Saint-Lazare.
1170 Construction du tombeau de Saint Lazare par le moine Martin.
XIIIᵉ s. Édification des arcs-boutants.
1469 Destruction de la tour par un orage.
Fin XVᵉ s. Construction de la flèche actuelle, de la partie supérieure du chœur, du porte-orgue et du jubé.
　　　Fin XVᵉ et début XVIᵉ s. Construction des chapelles latérales, du revestiaire (chapelle Saint-Joseph), de la sacristie.
1748 Destruction du jubé.
De 1766 à 1789 Le tombeau de saint Lazare et le zodiaque placés dans le chœur sont détruits.
　　　Les tours de la façade sont surmontées de dômes.
　　　Le portail latéral est détruit.
　　　Le grand tympan est plâtré.
　　　Le chœur est « restauré » avec des marbres.
　　　Les chandeliers sont achetés.
Révolution. Liquidation méthodique de la ci-devant église cathédrale.
1801 Réouverture de l'église.
1837 « Découverte » du tympan caché sous le plâtre.
1843-45 Réfection de la voûte, des contreforts et des arcs-boutants.
1861-68 Réfection des piliers soutenant la flèche.
1868-70 Réfection des clochetons.
1873 Transformation du toit des nefs.
1876 Construction de l'orgue.
1939 Enlèvement des marbres du chœur.
　　　Construction du maître-autel.
1947 Construction de la chaire.
1948 Remise en place de la tête du Christ du tympan.
1951 Réparation de la flèche.
1952 Réharmonisation de l'orgue.
1953 Aménagement de la salle capitulaire.

TABLE DES PLANCHES

180

72

71

75

76

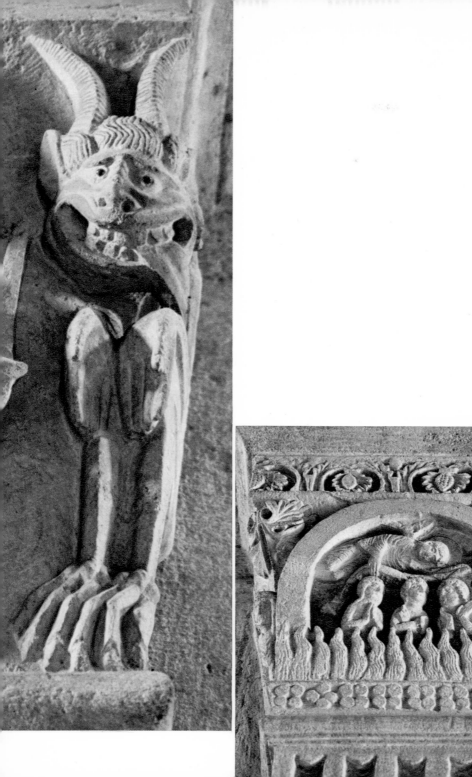

83

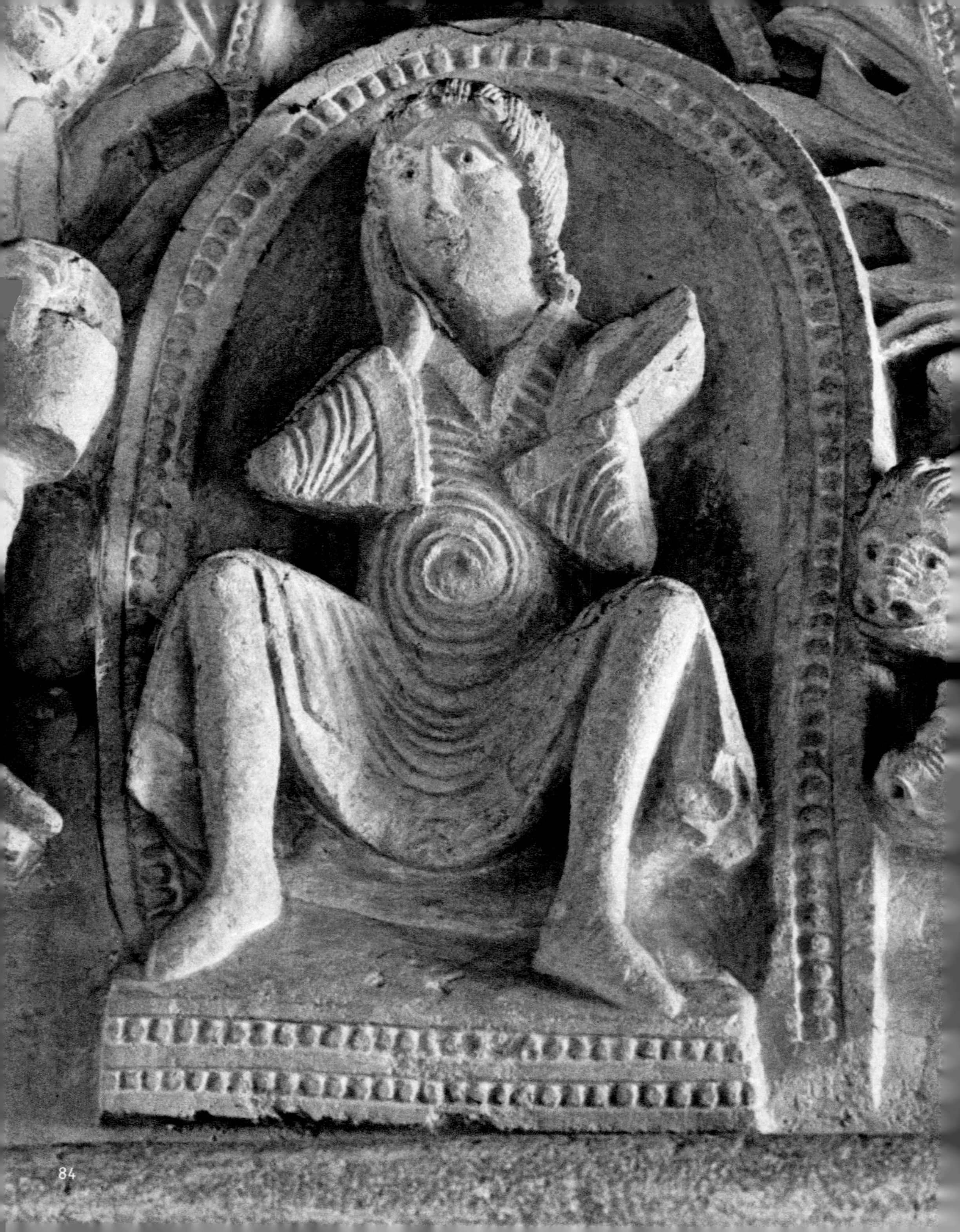

85

86

DIMENSIONS

Hauteur totale (à la flèche du transept) : 77 m 65.
Longueur intérieure : 66 m 91.
Largeur intérieure totale : 21 m 11.
Largeur de la grande nef : 8 m 44.
Hauteur de la voûte de la nef : 23 m 38.
Largeur du transept : 30 m environ.
Largeur du tympan du portail : 6 m 53.
Hauteur du tympan du portail : 4 m 62 (zodiaque
    non compris).
Hauteur des chapiteaux du chœur : 0 m 76.
Largeur des chapiteaux du chœur : 0 m 73.
Largeur de l'adoration des mages : 0 m 73.
Hauteur de l'adoration des mages : 0 m 65.
Largeur du réveil des mages : 0 m 73.
Hauteur du réveil des mages : 0 m 42.
Largeur des chapiteaux de la nef : 0 m 66.
Hauteur des chapiteaux de la nef : 0 m 73.
Hauteur des têtes des personnages des chapiteaux :
    10 à 11 cm.
Largeur de l'Ève du Musée Rolin : 1 m 25.
Hauteur de l'Ève : 71 cm 50.
Hauteur de la tête de l'Ève : 20 cm.

VÉZELAY

O_N a tellement parlé de Vézelay qu'il semble un tantinet grotesque d'y revenir.

On a tout dit. De la musicalité du nom à la beauté de l'œuvre, de l'indéniable attrait du site à l'attirance, plus grande encore, de cette sculpture, de cette architecture.

Et puis, qui trop embrasse, mal étreint. Il y a comme un univers, en Vézelay. Prétendre le saisir en entier, l'exprimer en quelques pages, reste prétention ridicule. Force est bien de limiter son choix. Volontairement ou non.

En insistant surtout dans nos illustrations sur le tympan central du narthex, nous avons cru mettre en valeur l'œuvre la plus grandiose, la plus significative, la plus géniale de cet admirable édifice.

On peut préférer les chapiteaux de Saulieu ou d'Autun à ceux de la Madeleine, l'architecture de Tournus ou de Paray à celle de Vézelay (pour ne parler que d'œuvres bourguignonnes). Mais il n'est rien sans doute, dans tout l'univers, qui soit comparable au tympan de Vézelay.

LE MONDE SECRET DU TYMPAN

Il domine de toute sa transcendance le narthex fameux qui ne serait sans lui qu'une salle trop vaste, et vide. Mais si le touriste le plus pressé lui réserve, en passant, une admiration qui n'est pas seulement de commande, est-ce bien sûr qu'il puisse en saisir le sens véritable? L'homme du xxe siècle, ses modes de penser, de sentir et d'agir, en effet, sont tellement différents de ceux des moines qui inspirèrent, s'ils ne l'exécutèrent pas, ce monde du tympan de Vézelay, qu'il nous faut un effort pour comprendre ce que les hommes de ces temps éloignés voulurent faire en ornant la porte de leur église.

Le sens esthétique, en effet, pour nous, c'est d'abord la vue, et l'on vient de très loin *voir* les œuvres du passé. Mais pour voir, il faut se mettre en face, se séparer de l'œuvre, s'arrêter, afin de jouir de ce que l'on voit. Jouir? le mot, à lui seul, devrait nous alerter. S'agit-il vraiment de jouir et de s'arrêter quand on se trouve à la porte du temple de Dieu même? « Prépare-toi, Israël, à rencontrer ton Dieu », est-il demandé par l'Écriture...

Beaucoup, il est vrai, parmi nos contemporains, ne se soucient guère de cette Présence. Que viennent-ils, en ce cas, visiter nos églises: ils se nourrissent de cadavres! Mais si l'on croit en Dieu, quelle plus mauvaise préparation à le rencontrer que de chercher ainsi sa propre satisfaction au moment où va nous être demandé l'acte de foi, d'espérance et de charité, qui est du même coup dégagement de soi-même, sortie de soi, oubli de soi. Ou bien pense-t-on s'en excuser en alléguant la noblesse de cette joie d'esthète? Dieu est assez grand pour que tout au monde lui doive être sacrifié quand il apparaît.

Or, justement, Dieu apparaît ici; et non point seulement parce qu'on le voit représenté sur le tympan... L'art est de nos jours, si bien, si certainement fait pour être vu, que devant une œuvre, chacun se demande d'abord ce qu'elle représente. Mais, y songeons-nous assez? Dieu, justement, ne saurait être représenté, ni le monde où il se meut, ce monde que nous atteignons par la foi, dont l'objet, précisément, est ce qui ne se voit point (saint Paul). Dès lors, il n'est pas étonnant qu'un art basé — comme celui de l'Occident, depuis au moins quatre siècles — sur la représentation des apparences, ait été amené, par sa pesanteur propre, à délaisser progressivement les thèmes chrétiens et à ne retenir tout au plus de ceux-ci que le côté anecdotique, superficiel et humain. Ainsi, l'art se contente-t-il de bavarder au lieu de nous plonger dans le silence, révélateur de Dieu.

Les moines du XIIᵉ siècle, eux, voulaient que la porte de leur église signalât assez efficacement au chrétien qui devait y passer, ce qu'il trouverait à l'intérieur. On peut dire que les sculpteurs ont réussi à merveille, dans l'exacte mesure où ils pouvaient utiliser un langage plastique qui ne fût pas limité par les conventions du réalisme.

Et tout d'abord, ils ont fait une porte d'église. La remarque paraîtra banale... Que l'on songe, pourtant, aux énormes machines déployées par l'art baroque ! voire même aux portails de l'époque gothique — si proche, en réalité, puisqu'elle commence dès 1148 avec l'église de Saint-Denis, alors que nous sommes ici, dans ce narthex de Vézelay, en 1140 et quelques...

Le Christ paraît encore, à Notre-Dame de Paris, à Bourges ou à Chartres, il juge les élus et les damnés. Mais sa taille s'amenuise, le tympan se scinde en deux puis en trois registres où les scènes de détail se multiplient. L'art devient descriptif, et les statues, de colonnes sculptées, deviennent personnages en ronde-bosse, aimables, diserts et comme de plain-pied avec notre bas-monde.

Rien de tout cela ici. La plus grande liberté dans le choix et l'interprétation des scènes de détail — si bien que l'on en est encore à se demander, en bien des cas, ce qu'elles signifient (compartiments latéraux, linteau cf. pl. 98) — n'empêche pas une construction absolument rigoureuse, entièrement au service de l'architecture. Nous sommes ici devant une porte, une vraie porte, une porte faite pour entrer, et la sculpture n'est, rigoureusement, qu'un encadrement. Il y a là une ascèse, une humilité toute simple mais qui fait du bien. Au contraire de la façade gothique, toujours un peu trop « devanture » quoi qu'elle en ait, à l'encontre surtout du portail classique, avec ses colonnes, son fronton et son air de parade, la porte du narthex de Vézelay ne se met point en avant, ne se pavane point. Elle se moque des colifichets et des fausses parures, de ces tours de force, de ces morceaux de bravoure étourdissants qui ne sont à vrai dire, que ronds de jambe des artistes pour se faire mieux valoir. Elle reste à sa place comme une bonne et brave porte qu'elle est. Devant elle, on ne songe point au sculpteur : on est d'autant plus saisi par la grandeur de ce Christ qui nous surplombe (pl. 95-97).

Car c'est lui, dès l'abord, qui s'impose, par le seul parti qui base toute la construction sur le principe d'une haute figure centrale solidement établie sur une base aussi plate et aussi étirée que possible (pl. 98) : la possession des peuples, sur le linteau, fait réellement de la terre l'escabeau des pieds du Seigneur (Ps. 109). Le coup de génie, au surplus, fut sans doute d'ouvrir les compartiments périphériques pour y loger la tête du Christ qui paraît de la sorte pénétrer un autre monde.

Or c'est de cet autre monde et non pas seulement du Christ qu'il est ici question. Car il s'agit de rappeler la réalité surnaturelle où nous sommes ainsi introduits; il s'agit de l'entrée de ce que Jacob appelait « la maison de Dieu et la porte du ciel ». C'est Dieu que nous avons à trouver, encore que ce soit « dans le Christ », bien sûr, ou plus exactement dans l'Église, qui est le Christ entier. Il serait donc bien insuffisant de définir cette iconographie en disant qu'elle représente la Pentecôte. Rien de moins anecdotique, en effet, rien qui aille plus directement à l'essentiel de la réalité mystique à laquelle la Pentecôte donna seulement naissance.

Nous ne le comprendrons point si nous nous acharnons à lire ce texte à la façon d'un tableau réaliste. La différence d'échelle entre le Christ et ses apôtres, entre les apôtres et les peuples de la terre doit suffire à nous mettre en garde. Si nous voulons comprendre, il faut bien réapprendre un alphabet, dont nous avons perdu, depuis des siècles, à peu près complètement le secret, et que notre temps réapprend non sans peine.

Il semble bien, en effet, que toute l'époque romane ait admis une portée symbolique des directions et des figures. Les directions rectangulaires ont la stabilité, l'apparente immutabilité de l'espace : un angle est droit ou il ne l'est pas. Les obliques, au contraire, variables à l'infini, donnent toujours l'impression de quelque chose d'instable, de chancelant, et demandent, par le fait même, à se poursuivre dans une succession de mouvements. Or, de la succession naît le temps, que les scolastiques devaient définir : numerus motus, la numération des mouvements successifs.

Mais en plus des perpendiculaires et des obliques (ou, si l'on préfère, du carré et des polygones à n côtés) il y a les figures cycliques : sinusoïde, spirale, cercle surtout, que tout le Moyen Age tint pour la figure parfaite, parce qu'il unit l'aspect de perfection géométrique, et l'aspect mouvant « giratoire » d'un carré qui, en tournant sur lui-même, décrirait avec ses quatre angles, un cercle parfait. Le cercle est donc la meilleure « figure » des choses du ciel; et de là vient, pour ne donner que ce seul exemple, l'habitude des auréoles circulaires derrière la tête des saints dans l'iconographie traditionnelle.

On peut difficilement s'étendre sur un symbolisme, d'ailleurs universel parce que fondé sur la nature même des figures géométriques. Il suffira, au surplus, de regarder notre tympan avec des yeux ainsi mieux éclairés.

Comment se compose-t-il? Suivant les trois directions possibles... Une large répartition des masses selon un ordre *rectangulaire* assure d'abord à l'ensemble son assise : le Christ et les peuples de la terre; les profonds sillons qui séparent en deux les groupes d'apôtres, à droite comme à gauche; la scansion enfin des multiples personnages sur le linteau, ou les jambes de maint figurant dans les caissons supérieurs. Mais le mouvement n'en apparaît que mieux avec les *obliques* données par les jambes du Christ ou celles de saint Pierre, les hanches, les pieds, etc. Enfin tout s'inscrit dans le *cercle :* le Christ, entouré d'une mandorle, les plis des vêtements, le tympan cerclé par les signes du zodiaque et les fleurons de la dernière archivolte.

Nous voilà donc enfin capables de lire ce texte, non point chiffré encore une fois : il ne s'agit point d'un langage allégorique, conventionnel, ésotérique, mais de l'utilisation des propriétés naturelles des figures plastiques élémentaires, dans un jeu complexe, savant, rigoureux, qui donne à l'œil tant soit peu familiarisé avec cet exercice, ou tout simplement non déformé par une éducation anti-naturelle, les impressions diverses et complémentaires de l'immobilité, du mouvement et de la perfection (à la fois mobile et stable, ce qui est la définition aristotélicienne de Dieu).

Le Christ, créateur, est Dieu, comme l'indique suffisamment outre sa taille transcendante, la mandorle qui ne signifie pas autre chose et l'isole dans une zone de silence. Sa main en sort, main disproportionnée à dessein du créateur qui nous a pétris, main qui nous donne à présent, par une grâce plus admirable encore (mirabilius reformasti), les sept dons de l'Esprit divin. L'Église en naît, en la personne des douze apôtres, parmi lesquels saint Pierre, assis à la droite du Christ et dans la même attitude que lui, lieutenant du Seigneur. Il se retrouve d'ailleurs, avec l'inséparable saint Paul cette fois, aux pieds de Jésus, puis sur le pied-droit, suivant une oblique, comme si l'on voulait indiquer la transmission, à travers les temps, de l'Évangile par le mystère apostolique, à tous les peuples de la terre qui se pressent vers lui, en une ligne horizontale, tout au long du linteau.

Est-ce tout? Non pas. Le tympan n'est qu'une partie de la porte et il ne devrait jamais être « pensé » indépendamment d'elle. On s'apercevrait alors que saint Jean-Baptiste, l'homme qui est au départ de la Bonne Nouvelle, le Précurseur qui annonce l'Agneau (mutilé) de Dieu (d'où le cercle à l'entour de cet agneau qu'il nous présente), est au centre de la composition. Plus précisément, le centre du cercle, donc l'Agneau, est lui-même au centre d'un cercle parfait qui, circonscrivant le demi-cercle du tympan, se complète par toute la porte dont il détermine la base en touchant le sol au pied du trumeau.

En somme : *sainte* (parce que le Christ est Dieu et qu'il nous donne Dieu), *apostolique* (puisque saint Pierre et les apôtres transmettent la Parole), *catholique* (puisque cette Parole est adressée à tous les païens de la terre), l'Église est *une* enfin, unie en Dieu, celle de la terre (dans laquelle la porte carrée nous donne accès) comme du ciel (rappelée par la forme seulement demi-circulaire du tympan), à partir du sacrifice rédempteur de cet agneau de Dieu qui est à présent glorifié dans le ciel. Est-il vraiment possible de définir plus parfaitement l'Église du Dieu vivant?

Non, ces sculpteurs n'étaient point naïfs! Mais ils n'étaient pas davantage des professeurs de théologie. Tout simplement, ces hommes de métier faisaient leur métier, sans se proclamer « artistes créateurs » ou demi-dieux, comme le devaient faire leurs successeurs. La vérité, ils ne l'inventaient pas; ils l'avaient reçue, au contraire, de ceux qui étaient chargés de leur transmettre la révélation du Seigneur. Mais ce qu'ils avaient ainsi reçu, ils ne le répétaient pas bêtement, comme devaient le faire, par la suite, tous ceux qui préférèrent le programme iconographique à la vérité plastique. A aucun moment ces sculpteurs n'oublient qu'ils font l'encadrement glorieux d'une porte et ils adaptent soigneusement la taille et le dessin pour mieux réaliser leur dessein.

Écoutons l'invitation muette de cette porte; entrons dans cette église, comme de bons chrétiens, en passant par le Christ qui nous a dit : « je suis la porte, ego sum ostium »; et allons, ensemble, rendre gloire à Dieu, car il est bon et sa miséricorde s'étend d'âge en âge sur ceux qui l'aiment.

DOM CLAUDE JEAN-NESMY

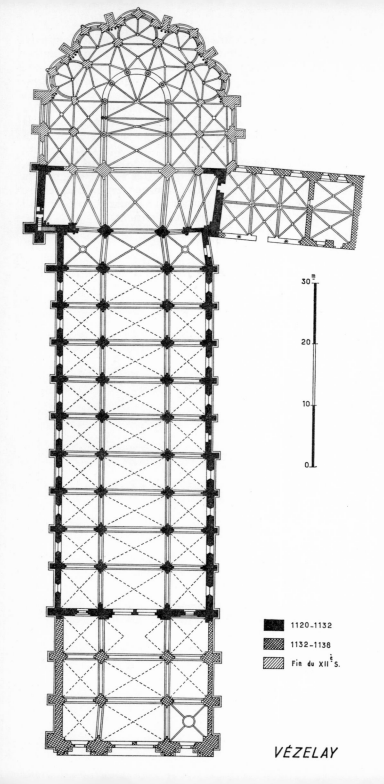

1120–1132
1132–1138
Fin du XII ͤ S.

VÉZELAY

HISTOIRE

PETITE CHRONIQUE DE VÉZELAY

L'Abbaye bénédictine

vers 860 Fondation par *Girart de Roussillon,* d'un monastère d'hommes à Pothières (Côte-d'Or) et d'un monastère de femmes au lieu dit « Fundus Vercellacus », qui deviendra Saint-Père-sous-Vézelay. Ces deux fondations monastiques sont « sous la garde et défense » de Girart et l'exclusive obédience spirituelle du pape.

De telles clauses sont à l'origine même de la lutte acharnée des Comtes de Nevers et de l'Évêque d'Autun contre l'abbaye de Vézelay.

863-868 Le pape Nicolas Ier et le roi Charles le Chauve approuvent successivement les fondations de Girart.

873 Le monastère des femmes est détruit par les Normands. Puis transféré sur la colline de *Vézelay* pour des moines bénédictins venant de l'abbaye Saint-Martin d'Autun.

878 Le pape Jean III consacre le sanctuaire du nouveau monastère à la Sainte Vierge Marie et aux saints apôtres Pierre et Paul.

910 Fondation de Cluny. Son premier abbé Bernon et Hugues, moine d'Autun, tenteront de réformer Vézelay.

1027 Guillaume de Volpiano, abbé de Saint-Bénigne de Dijon, saint Odilon, abbé de Cluny, et le comte Landry de Nevers soutiennent un abbé Eudes contre Hermann, candidat de l'évêque d'Autun.

début du XIe siècle. La croyance se répand que Vézelay possèderait les reliques de *sainte Marie-Madeleine,* pécheresse de l'Évangile, abusivement confondue en Occident avec Marie de Béthanie, sœur de Lazare et de Marthe.

vers 1050 L'abbé de Vézelay obtient du pape Léon IX confirmation du patronage de la Madeleine sur son abbaye et organise les pèlerinages.

1083-1087 Sous les abbés Étienne et Josserand, l'abbé de Cluny, saint Hugues, et Guillaume Ier, comte de Nevers sont d'accord pour intervenir dans le gouvernement de Vézelay.

1090-1106 Un moine clunisien, *Artaud,* est promu abbé de Vézelay; avec lui commence la série des grands abbés de la Madeleine.

1100 Une bulle du pape Pascal II, ancien clunisien, soumet Vézelay à Cluny.

1103 L'évêque d'Autun *Norgaud* (1098-1111) jette l'interdit sur le culte de la Madeleine. Le pape Pascal II lève l'interdit et confirme les privilèges de Vézelay.

1104 *Consécration du premier grand sanctuaire roman de Vézelay :* un transept et un chœur, dont il reste, selon M. Francis Salet, les bases des deux piliers du transept actuel.

1106 L'abbé *Artaud* est assassiné au cours d'une émeute des gens de Vézelay, mécontents d'un accroissement des impôts.

1106-1123 *Renaud de Semur,* clunisien, neveu de saint Hugues, est nommé abbé de Vézelay. Le comte de Nevers, Guillaume II, s'oppose à lui.

1116 Le pape Pascal II déclare prendre Vézelay sous sa spéciale protection et enjoint au comte de Nevers d'avoir à cesser ses intrigues et attaques contre les moines de la Madeleine.

1119 Des partisans du comte de Nevers envahissent l'abbaye, profanant le sanctuaire et molestent les religieux. L'abbé en appelle au roi. Louis VI le Gros est heureux d'être appelé en arbitre.

1120 Un violent incendie éclate au cours du pèlerinage (27 juillet) et détruit une partie de l'église agrandie par l'abbé Artaud; on signale plus d'un millier de victimes.

Après les études de M. Francis Salet, on s'accorde à prendre cette date comme point de départ de la construction de l'admirable nef romane actuelle.

1128-1130 L'abbé Renaud de Semur est nommé archevêque de Lyon. Il mourra en 1129. Le choix par les moines de Vézelay d'un successeur non agréé par Cluny, déclenche une lutte entre les deux abbayes. Après une épuration de la communauté, le pape Innocent II impose comme abbé un clunisien, *Albéric*. Grande figure de l'Église au XIIᵉ siècle, cet *abbé poursuivra la construction de la nef romane commencée par Renaud de Semur.*

1132 De passage à Vézelay, le pape Innocent II consacre une église dite : des pèlerins.

1138 *L'abbé Albéric* est nommé évêque d'Ostie et cardinal. Il réside en France comme légat pontifical et collabore avec saint Bernard pour organiser les Croisades.

1138-1161 *Ponce de Montboissier*, frère cadet de Pierre le Vénérable, abbé de Cluny, avec lequel il a été à Vézelay auprès de leur grand-oncle Renaud de Semur, est élu abbé de la Madeleine.

Grande figure de féodal, il secoue le joug clunisien. Il soutiendra une lutte acharnée contre sa ville, le comte de Nevers et l'évêque d'Autun. Une victoire éphémère assurera à son abbaye l'indépendance, la paix et un grand prestige.

1140-1145 Conflit de Ponce et de l'évêque d'Autun Humbert de Bagé pour des ordinations conférées aux moines de Vézelay par l'évêque Hélie d'Orléans. Les papes Innocent II et Eugène III donnent successivement raison à l'abbé Ponce.

1146 Saint Bernard arbitre un conflit entre Ponce et Guillaume II, comte de Nevers. Il prêche la seconde croisade en présence du cardinal légat Albéric, du roi Louis VII le Jeune et d'une foule immense. En souvenir de la croisade, *l'abbé Ponce construit la chapelle Sainte-Croix. Son règne voit l'achèvement de l'avant-nef, dite narthex.*

1148 Rentrant de la seconde croisade, le jeune comte de Nevers, Guillaume III, se ligue avec Humbert de Bagé, évêque d'Autun, et Eudes, duc de Bourgogne, contre l'abbé Ponce.

1152 La ville de Vézelay se proclame « commune »; l'abbaye est envahie et saccagée. Ponce s'enfuit et laisse le gouvernement au prieur Hilduin.

1153 Ponce se brouille avec son frère Pierre le Vénérable qu'il juge trop sympathique à ses adversaires Autun et Nevers.

1155 Le roi Louis VII le Jeune, venu en pèlerinage à la Madeleine, écoute les doléances des bourgeois de Vézelay et somme l'abbé Ponce devant lui. Rentré dans son abbaye, Ponce doit fuir de nouveau devant une attaque combinée de Nevers et des bourgeois de Vézelay. Il demande l'arbitrage royal.

1156 Appuyé par le roi, Ponce rentre en triomphateur. Il sévit contre les rebelles. Pour cinq ans, le calme est revenu sur la colline de la Madeleine, dite désormais « *Potestas vezeliacensis* » ou « poté de Vézelay ».

1161 *Ponce* meurt le 14 octobre; son adversaire et apparenté Guillaume III de Nevers disparaît huit jours après lui.

1161-1171 *Guillaume de Mello*, abbé de Pontoise, est élu abbé de Vézelay. La comtesse de Nevers et son fils Guillaume IV s'y opposent. Les moines de Vézelay prennent le parti du pape Alexandre III en lutte avec l'antipape Victor, soutenu par Cluny et l'Empereur. Vézelay est alors soustrait à toute tutelle clunisienne.

1164 Ayant trouvé dans la communauté de la Madeleine un parti favorable à ses prétentions, Guillaume IV de Nevers attaque l'abbaye. Le chef du complot est Pierre l'Auvergnat, ancien protégé de l'abbé Ponce et abbé déposé de Saint-Michel de Tonnerre. Devant le roi Louis VII une paix éphémère est signée à Sens.

1165 Le comte de Nevers reprend plus violemment la lutte. Le prieur Gilon et les moines quittent l'abbaye et se réfugient à Saint-Germain-des-Prés. Le roi ramène l'abbé à Vézelay (6 janvier 1166).

1167 Procès solennel et supplice, dans la vallée d'Asquins, de huit « Albigeois ». L'abbé concède de nouvelles « libertés » aux bourgeois révoltés.

1171 Mort de l'abbé *Guillaume de Mello*. Son successeur est *Girard d'Arcy*. Le comte Guy de Nevers se dresse contre le nouvel abbé. Les comtés de Nevers et Auxerre passeront en 1184, par mariage, à un prince capétien : Pierre de Courtenay.

vers 1185 L'abbé *Girard d'Arcy* entreprend la *construction du chœur ogival actuel* pour remplacer celui qui dut être élevé par l'abbé Artaud.

1190 Les rois Philippe-Auguste et Richard Cœur de Lion se rencontrent à Vézelay avant de partir à la troisième croisade.

1195 *Mort de l'abbé Girard d'Arcy.* C'est le dernier des grands abbés de la Madeleine.

1217 Arrivée à Vézelay des frères Pacifique et Louis, premiers compagnons de saint François d'Assise. Ils s'installent près de la chapelle Sainte-Croix, construite par l'abbé Ponce. Le frère Pacifique mourra à Lens.

1244 Premier pèlerinage du roi Louis IX à la Madeleine. Il y reviendra en 1248, 1267 et 1270. *On commence alors à construire l'église de Saint-Père.*

1265 Sous l'abbé *Jean d'Auxerre*, on procède à une « reconnaissance » des reliques de la Madeleine. En 1267, le légat pontifical, cardinal Simon de Brion, et le roi, saint Louis, en font la « Relevation solennelle ».

1279 Charles de Salerne et les provençaux prétendent avoir retrouvé le « tombeau » de sainte Marie-Madeleine. Nouvelles querelles d'authenticité.

1280 Le roi Philippe III le Hardi déclare prendre Vézelay et sa poté sous sa protection. En 1312, Philippe le Bel promulguera une ordonnance d'annexion.

1353-1383 L'abbé *Hugues de Maison-Comte*, conseiller du roi Jean le Bon, gouverne sagement l'abbaye. Il est fait prisonnier à Poitiers en 1356. Le dauphin Charles, régent du royaume, permet alors aux bourgeois de Vézelay, de relever et compléter leurs murailles. Ainsi la ville pourra échapper aux incursions des Grandes Compagnies, au cours de la Guerre de Cent Ans.

1435 L'abbé *Alexandre* réconcilie Charles VII et Philippe le Bon par le traité d'Arras.

1443-1485 *Aubert de la Chasse*, dit le Bon Abbé, réforme l'abbaye et lui redonne une vie provisoire.

1495-1538 *Dieudonné de Bedner*, abbé, non membre de l'ordre bénédictin. Il demande la sécularisation de l'abbaye en 1531.

1519 Naissance à Vézelay de Théodore de Béze, disciple de Calvin.

1537 Le pape Paul III transforme l'abbaye en chapitre gouverné par un abbé, à la nomination royale.

Le Chapitre

1544 Le second abbé du chapitre est *Odet de Coligny*, cardinal de Châtillon, qui embrasse la Réforme et se marie avec Isabelle de Hauteville (1563). Le roi lui retire son bénéfice et le pape l'excommunie. Il meurt en 1571.

1567-1580 Les Huguenots occupent militairement la ville de Vézelay que les Catholiques de Sansac ne peuvent reprendre. Alors les archives de l'abbaye sont mises au pillage et dispersées, les religieux franciscains de la Cordelle sont sauvagement massacrés.

1573-1580 Le cardinal de Guise, *Louis de Lorraine*, frère de Henri de Guise, est nommé abbé de Vézelay. Il meurt assassiné à Blois.

1601-1631 *Erard de Rochefort*, fils du gouverneur royal de Vézelay, est nommé abbé. Il restaure la discipline et les bâtiments de la Madeleine : autel monumental et jubé, aménagement de la salle capitulaire en « chapelle basse ».

1668-1702 Sous *Louis Fouquet*, frère du surintendant de Louis XIV, la rivalité entre Autun et Vézelay se réveille. Le chapitre refuse de recevoir des prédicateurs envoyés d'Autun par M. de la Roquette. Le Conseil d'État royal tranche le conflit en faveur d'Autun : la collégiale et la ville de Vézelay sont mises sous la juridiction de l'ordinaire.

Au XVIIIe siècle. Vézelay eut des abbés de cour : *Pierre Guérin de Tencin*, archevêque de Lyon, *Bertier de Sauvigny* qui rase une partie vétuste de l'abbaye pour se faire construire un petit château.

La Révolution fit mourir en prison le dernier abbé, *Louis-Marie le Bascle d'Argenteuil.*

1790-1795 Un arrêt du Directoire du Département de l'Yonne signifie que l'église collégiale est supprimée. Son revenu global doit être estimé à 100 000 livres.

Au cours de la Terreur, l'église de la Madeleine abrite le culte de la Déesse Raison, puis celui de l'Être suprême. Elle fut « réconciliée » le 21 juillet 1795.

1840-1859 On procède à la restauration de la Madeleine. Il faut en remercier Prosper Mérimée, inspecteur des Beaux-Arts, et l'architecte Viollet-le-Duc. Œuvre discutée, mais, sans elle, nous irions pleurer sur des ruines.

D O M   B É N I G N E   D E F A R G E S

TABLE DES PLANCHES

212

89

90

91

92

99

105

106

DIMENSIONS

Longueur totale de l'édifice : 103 m.
Longueur du narthex : 20 m 40.
Largeur du narthex : 23 m 60.
Hauteur de la nef du narthex : 20 m environ.
Largeur de la nef du narthex : 10 m 20.
Largeur des bas-côtés du narthex : 6 m 20.
Portail intérieur du narthex : 10 m 85.
Hauteur du tympan (zodiaque et voussure compris) :
    5 m 40 environ.
Largeur du tympan : 9 m 25.
Le tympan est formé de 7 pierres.
Hauteur du Christ en Gloire : 2 m 80 environ.
Épaisseur des voûtes : 30 à 35 cm.
Longueur de la nef de l'église : 62 m.
Largeur totale (bas-côté compris) : 23 m.
Largeur du vaisseau central seul : 10 m 60.
Hauteur de la nef centrale : 18 m 50.
Largeur des collatéraux : 6 m 20.
Épaisseur des voûtes : un peu plus de 45 cm.
Épaisseur d'un pilier : 2 m 60.
Largeur du transept : 28 m.
Longueur du transept : 9 m.
Longueur du chœur : 16 m.
Largeur du chœur : 10 m 60.
Colonne monolithe du sanctuaire : 4 m³ environ.
Longueur d'une chapelle absidale : 4 m 60.
Largeur maxima d'une chapelle absidale : 6 m.
Longueur de la crypte : 19 m.
Largeur de la crypte : 8 m 80.
Hauteur de la tour Antonia : 35 m environ.
Hauteur de la tour de la façade : 38 m environ.

VISITE

COMMENT VISITER LA MADELEINE DE VÉZELAY

C'est surtout de loin que l'église de Vézelay suscite l'enthousiasme. Perchée sur un coteau, elle étend son vaste corps à l'abri de ses tours. Vue de près, il faut bien dire que la façade déçoit, fruit de restaurations indiscrètes. Et les côtés de la nef, avec leurs arcs-boutants — au reste absolument nécessaires — ont perdu de leur sobriété et de leur force. Mais la vieille tour Antonia, au transept, suffit à nous consoler. C'est sans doute l'une des plus belles tours romanes que nous possédions encore, et l'on ne peut se lasser de la contempler.

Lorsque l'on pénètre à *l'intérieur* de l'église, on est pris aussitôt par l'harmonie des travées qui s'offrent aussitôt au regard. La luminosité du lieu, la couleur aussi, chatoyante, et la richesse de la décoration — pourtant extrêmement simple — ne laissent pas de satisfaire les yeux. Par exemple le cordon qui suit toute la nef, au niveau des voûtes et autour des tailloirs des chapiteaux supérieurs, avec son large plissé d'un rythme puissant et continu, est une de ces trouvailles qui, à elle seule, suffirait à situer le décorateur du Vézelay à la place qui lui revient : c'est-à-dire l'une des premières.

En prenant immédiatement le *bas-côté sur la gauche,* on trouve aussitôt, sur le chapiteau du *premier pilier,* la parabole de Lazare et du mauvais riche. Puis le fameux Moulin Mystique, l'une des pièces les plus célèbres de l'art roman. L'Ancien Testament est un sac de beaux grains, dont la substance, cachée sous l'enveloppe des figures et des symboles, ne deviendra assimilable que lorsque le Moulin Mystique (le Christ) aura mis au jour — révélé — cette substance que recueille le Nouveau Testament. Les deux personnages sont Moïse et saint Paul.

Au *pilier suivant* : la balance et les gémeaux. Deux signes du zodiaque. Puis, la conversion de saint Eustache, un admirable chapiteau,

rempli de fougue et de vie, typique au plu[s] haut point de la virtuosité des statuaires d[e] Vézelay.

On verra, dans la Luxure et le Désespoir, a[u] *pilier* suivant, avec quelle violence les gens d[e] cette époque savaient parler et faire entendre[.]

Et, franchissant la *porte* du fond de ce bas-côt[é] Sud, on débouche sur le *narthex,* le lieu le plu[s] beau, sans doute, de toute la basilique d[e] Vézelay.

Ce narthex, fort vaste de proportions[,] comporte trois tympans, donnant respective[-] ment sur les bas-côtés et sur la nef de l'église[.]

C'est, bien entendu, le *tympan central,* ouvran[t] au centre de l'édifice, qui prédomine, non seule[-] ment par ses proportions, d'une rare ampleur[,] mais aussi par la grandeur de son style et so[n] étonnante majesté.

Peu de tympans romans sont aussi imposant[s] que celui-là, c'est pourquoi, véritablement, i[l] confère à Vézelay sa plus réelle grandeur, a[u] point que, pour caractériser la situation d[e] Vézelay au cœur de la Bourgogne Romane, nou[s] n'avons pas hésité à limiter à ce seul morcea[u] la présence, indispensable, de l'édifice entier.

Dom Éloi Devaux résumait ainsi le thème d[e] cette énorme surface de pierre : « Le portail d[e] Vézelay représente la Pentecôte, oui, mais il n[e] s'agit pas du tout de l'évocation du fait histo[-] rique raconté par les Actes des Apôtres. Cett[e] Pentecôte, c'est plutôt le Mystère du Chris[t] total, le Mystère du Salut universel, dan[s] l'espace et dans le temps, par le Christ glorifi[é] source de l'Esprit-Saint vivifiant. Une leço[n] de théologie, un festin pour notre foi et notr[e] contemplation, voilà ce qui nous est proposé[.]

« Un Christ gigantesque, aux mains énorme[s] créatrices et recréatrices du cosmos, en plein[e] possession de Son pouvoir et de Sa gloire divi[-] ne : trône, manteau royal, mandorle, nimb[e] (crucifère, car c'est par la Croix qu'Il sauve)... Son visage hiératique, fixé dans l'éternel, est la seule partie immobile du tympan. Un mystérieux rayonnement émane de Lui, agite Ses vêtements, part de Ses mains, se répand sur les douze Apôtres. Le livre en main, ils vont porter l'Évangile et communiquer l'Esprit reçu, jusqu'aux extrémités de la terre, à ces peuples étranges : pygmées, cynocéphales, hommes à grandes oreilles, qui se pressent et s'avancent vers le Christ. Les médaillons du zodiaque symbolisent la durée de cette évangélisation, l'incarnation du divin dans les plus humbles travaux de l'homme. L'Ancien Testament n'échappe point à cette influence du Christ : au-dessus de Ses mains la manne et l'eau du rocher » (ou peut-être le Ciel et la Terre). « A Ses pieds, sur le trumeau, Jean-Baptiste le précurseur montre du doigt « l'Agneau qui efface le péché du monde ». Ainsi, tout le mystère du salut, tout le Credo, tout ce qui fait la fierté du chrétien est écrit dans cette parabole de pierre. Une belle histoire pour les enfants de Dieu. Quel optimisme et quelle candeur d'enfant, quelle malice parfois, tel ce pygmée qui prend une échelle pour gravir le dos de son cheval et ces petites scènes bourguignonnes du zodiaque et tous les chapiteaux de la Madeleine : tout cela est pur, sain, naïf : esprit d'enfance qui est la substance même de l'Évangile. Esprit théologique aussi, sens aigu du rôle du Christ, de Sa divinité. Hantise de l'unité. Il est le centre et la source de tout. Tout est vie en Lui, par l'Esprit-Saint qu'Il répand. Un seul corps, un seul Esprit (Eph., IV, 4), une Église, une, sainte, universelle, apostolique. Unité de l'œuvre avec l'édifice, unification de tous les éléments par le rythme et la signification d'un même mystère d'unité, unité de l'œuvre avec le spectateur qui, malgré lui, doit communier au rythme, participer au mystère... » (Zodiaque n° 2, pp. 4 à 10).

Les deux tympans latéraux sont loin d'avoir la grandeur du tympan central. Celui de droite (Sud) raconte l'Enfance du Christ, avec une charmante bonhomie, tandis que celui de gauche (Nord) décrit l'apparition du Christ aux pèlerins d'Emmaüs et surtout, au sommet, l'Ascension. Le Christ y est pris, véritablement, dans un mouvement ascendant irrésistible.

Il faut remarquer aussi, au petit tympan Sud, sur le chapiteau du piédroit, l'ange annonciateur de la bonne nouvelle, qui est l'une des merveilles de Vézelay. Tout en clameur, il est une sorte d'appel à la croisade, à la lutte pour le triomphe de la cause du Christ.

On peut rentrer à nouveau dans l'église, par le portail Nord, non sans avoir, une dernière fois, admiré le narthex, et son tympan central (à noter que, pour voir ce dernier sous son meilleur jour, il convient de fermer les portes du narthex donnant sur le parvis de l'église. Sinon, la lumière, venant de face, détruit tous les reliefs).

Le collatéral Nord s'ouvre devant nous, sitôt le portail Nord du narthex franchi. Ces collatéraux, d'une largeur étonnante, et de proportions admirables, valent d'être longuement contemplés.

En remontant ce collatéral Nord vers le chœur, on trouvera les chapiteaux suivants : Deuxième pilier : le châtiment de l'avare. Troisième pilier : Judith et Holopherne (ce chapiteau est dû à Viollet-le-Duc...) Quatrième pilier : le vœu de Jephté. Puis : David et Goliath. Cinquième pilier : la mort d'Absalon. Sixième pilier : Moïse et le Veau d'or (voir surtout le démon). Septième pilier : Saint Antoine, l'ermite, et ses deux lions en train de creuser la fosse de saint Paul, anachorète. Huitième pilier : la fameuse vision de saint Antoine, d'une verve et d'un mouvement inégalables. Sur la colonne engagée, située dans le mur Nord, en face de ce pilier, saint Antoine et saint Paul, ermites, en train de partager leurs pains. Sur la colonne engagée dans le même mur, hauteur du Cinquième pilier (mort d'Absalon) noter l'admirable festin du mauvais riche. C'est une pièce de premier ordre, avec sa composition ordonnée autour du mauvais riche, pris entre six fenêtres jumelées qui centrent admirablement le personnage.

Au Neuvième pilier enfin, Adam et Ève, chapiteau le plus ancien de l'église, fruste et malhabilement traité.

On débouche alors sur le transept et le chœur ogival. Il est difficile de juger de cette œuvre, dont la blancheur crue jure vivement avec la fine coloration de la nef romane. Mais, à l'époque, des vitraux et des fresques (on en voit des traces sur certains piliers Sud du déambulatoire) devaient singulièrement modifier l'atmosphère du lieu.

Il n'empêche que l'opposition est d'autant plus frappante, lorsque l'on se place au bas des marches, au centre de la nef, tourné vers cette dernière et que, faisant volte-face, l'on se place brusquement face au chœur. On mesure toute la distance qui peut séparer le roman du gothique.

On pourra visiter la crypte et le bras de cloître, reconstitué par Viollet-le-Duc, avec la chapelle, ancienne salle capitulaire, qui y est accolée.

Mais l'on n'oubliera pas de redescendre le collatéral Sud, afin d'achever le tour complet de l'édifice. On trouvera, en partant du transept, au troisième pilier, la lutte de Jacob avec l'ange. Au quatrième pilier : Daniel dans la fosse aux lions, puis saint Martin faisant abattre un arbre sacré des païens. En face, sur le mur Sud, la musique et la luxure ; œuvre d'une puissance extraordinaire, et dont le sens est suffisamment clair par lui-même pour éviter de longs commentaires. Enfin au cinquième pilier : les quatre vents, chapiteau d'une fort belle venue.

Si l'on a le temps, et des jumelles, on aura tout intérêt à faire le tour des chapiteaux situés tout en haut des piliers de la nef, à la naissance

235

de la voûte. On y trouvera des scènes de la Bible : à noter surtout Noé *(troisième pilier Sud, en venant du narthex)*, Adam et Eve *(quatrième pilier Nord)* et Caïn et Abel *(cinquième pilier Nord)*.

La visite de Vézelay s'achève nécessairement par le *tour des terrasses,* avec leur panorama.

On ne peut quitter ce haut-lieu de prière sans ressentir profondément la grande leçon de paix et de force que donne le tympan central du narthex. Cette vision de foi est une de celles que l'on n'oublie pas, et qui, mieux que tout discours, suffit à témoigner de l'incomparable grandeur de ceux qui l'ont conçu, réalisé, exécuté, dans la première moitié de cet incomparable XII⁰ siècle.

Saint-Philibert of Tournus

Saint-Philibert Abbatial Church

The abbey church of Saint-Philibert at Tournus is one of the most impressive among the early medieval monuments still extant in Burgundy. The audacity, the amplitude, the remarkable proportions of its architecture carry the visitor into an utterly unfamiliar world. A glance at the narthex or the nave will reveal at once some of the problems facing the archæologist. How can we account historically for an art which is so alien to the Romanesque style, except in the choir ?

We know that Abbot Etienne—elected ca. 960—played an important part in the construction, and that Abbot Bernier carried on in the 11th. cent. the work of his predecessor, badly damaged by fire. The church was consecrated on Aug. 29, 1019. Those were the golden days of St-Philibert's, with Saint-Ardain, famous for his charity, as its abbot from 1028 to 1056. Owing to additions and transformations, it was consecrated anew in 1120. But decadence set in and, in the 17th cent., the abbey was secularized and became a collegiate church.

St-Philibert's was restored in the 19th cent. and has been rising from its ruins, especially since the *Centre International d'Études Romanes* was founded there, thus proving the surprising youthfulness of this ancient masterpiece.

236

The western front of St-Philibert's seen from the Paris-Lyon road, is typical of the whole church. That huge wall, 90 feet high, rising without a break or the help of buttresses, with its small openings and the wonderful arrangement of its bond, is evidence enough that the mason was king at Tournus.

The genius of the architect must be credited with the volumes, and the astonishing plays of lights and colours; but the hand of the mason appears everywhere. He it was who enlivened the wide wall-surfaces and the massive piers with the small bond, the vertical strips or the chevron mouldings which the attentive visitor soon discovers in St-Philibert's.

The North tower is topped with a steeple, obviously of later date; it is more picturesque but less unobtrusive and well-proportioned than the South turret.

The promises of the facade are kept in the narthex: that severe monument is a church and nothing else. It strives to create that atmosphere of silence and meditation in which man can meet his God. One can read in the narthex the mentality of its architects: they were contemplative men, caring for essentials only. This is why volumes, unaided by carving or painting assume such importance. There are some traces of painting, however: a fresco, unfortunately much faded, at the end of the central nave of the narthex reminds us that everything was painted in the 12th century. The sight must have been remarkable, but the naked architecture of the narthex is sufficiently rewarding.

Before entering the church, let us climb to the upper floor of the narthex, where is St-Michel's Chapel, perhaps the finest thing in Tournus. Its unadorned beauty may leave you unmoved: it arises wholly from the interplay of lights and shadows, volumes and stones. The fruitful darkness of the groundfloor blossoms here, luminous, soaring, ample. Overhead also, the master-craftsman's hand is seen: the stones are skilfully distributed in the vaults, so that their tremendous weight rests appropriately on the walls and pillars. For there are no buttresses, only walls, surprisingly thick. And yet the splaying of the slits and loop-holes is such that they become windows and pour a soft light on the floor. It is the extremely skilful distributing of the openings which makes this unexpected miracle possible.

The nave is bound to fill with wonder the most exacting visitor. This is one of the most impressive portions of the building, with its huge pillars of pink sandstone resting on the ground or on a small drum, and the original disposition of the central nave —in fact a skilfully contrived succession of *transversal* barrel vaults by which all the light is reflected and softly diffused; the bold proportions, the upward thrust of the pillars, the powerful balance of volumes account for the unique character of the whole, at once colossal and aerial. One is forcibly reminded of those Egyptian buildings which also unite lightness and strength. Perhaps it is by reason of this similitude that St-Philibert's differs so much from the traditional Romanesque style.

Why were these transversal barrel vaults so little imitated at the time? One other example is known, at Mont-Saint-Vincent, not far from Tournus. This technique offers great advantages, however: it has strength, for the thrust of the vaults is transferred on to the mass of the transept pinned by the huge twelfth-century tower, and to the parallel mass of narthex and West front. Besides, the resulting light, soft, delicate, subtle, is found nowhere else.

One should admire the surprising height of the two vast aisles and the wall on which they abutt at the Western end.

In the South aisle is the statue of Notre-Dame-la-Brune, a 12th century Madonna from Auvergne, carrying an infant Jesus already adult, setting out to spread the Gospel: this an impressive, candid piece of craftsmanship.

The chancel is disappointing, so small and mean it appears beside the nave. Besides it has been extensively altered, and whitewashed beyond recognition. If thoroughly scraped, it might be rescued, as well as the transept which, with its huge cupola, takes us back into the familiar world of traditional Romanesque architecture.

The mason's hand is less conspicuous in the rough bonding of the stones, but the sculptor comes in. On the base of the first pillar in the South transept, a learned and bold inscription appears in fine uncials: RENCO ME FECIT. How different is this fine inscription from the rough lettering of the so-called Gerlannus-inscription on the triumphal arch of St-Michel's chapel; how different, too, are the capitals of the transept from the bold, but rough carvings on that same triumphal arch ! A few paces, and we have spanned an astonishing space in time.

One should go down into the crypt, which undoubtedly accounts for the modest proportions of the chancel. The venerable shrine where the relics of the saint had long been kept had to be respected. One should note the vaulting, the central well, and the two Roman columns standing by the well.

Walking round the outside of the building, one should note the fine bonding on the North side of the narthex, and admire the boldness of the architect who did not hesitate to set the bulky mass of the transept tower above an exceptionally narrow chancel. Yet the harmony of the two masses, different as they are, is remarkable.

Among the many surviving remains of the old monastery, the finest is certainly the large frater called " Le Ballon " as it was used as a tennis-court. This hall has recently been repaired by the *Centre International d'Études Romanes*, and is notable for its proportions and its fine masonry. The cellars, the chapter-house, the abbot's lodging, a portion of the cloister and a warming house show how satisfactorily the demands of communal life were met, while a number of old towers remind us that the monks, in those troublous days, could maintain peace, a peace which was preeminently of the soul.

A last visit paid to the narthex will convince you of the spiritual character of that peace. The years have not tarnished a peace which was not bound up with an age, or a moment in a man's life, but bound up with eternity and therefore indestructible. It has become the very life and soul of the monument.

A building like St-Philibert's at Tournus has evidential value: a world can be felt there, still living, the world of monastic life which has given birth to it. The Spirit still bloweth among those stones; St-Philibert's remains what it always was: the House of God.

To-day, as yesterday, as to-morrow, the towers of Tournus rise in the Saône valley, reminding the tourist who hurries by them that the best refuge during our pilgrimage through this life is the one which the stone monument merely bodies forth: the holy Church of God. Such is undoubtedly the finest lesson to be learnt from St-Philibert's at Tournus.

Table of Illustrations

Lights of Paray

The name of Paray-le-Monial refers to the monks to whom the town owes its greatness, though they have not founded it. They belonged to the order of Saint Benedict, but were soon merged in the Cluniac order.

To-day the Benedictines are no longer in Paray,

but the town still deserves its name on account not only of the memory left by the Black Monks and of the splendid monument erected by them to the glory of God, but also of the unbroken tradition of monastic life and dedication to prayer which the numerous religious communities established there still keep alive.

How to visit the Basilica

Most people come to Paray on a pilgrimage, but this does not preclude a visit. The pilgrim who walks down the Rue de la Visitation suddenly finds himself face to face with the North arm of the transept, the sturdy tower and the apsidal portion of the basilica, and is tempted to pass the door which opens in front of him, like that of an Oriental palace. Let him forbear and enter the Chaplains' park in order to behold the typically Cluniac disposition in tiers of the radiating chapels with their apses and gables, surmounted by the main apse and its gable, with the tower firmly planted on the crossing. The impression varies with the hour of the day and the time one gives to the visit, but the silence and light which distinguish Paray cannot be felt outside the basilica unless one enters the Park, all by oneself.

Paray remains indeed the Golden Valley which could once be surveyed from the hill-top where the first monastery stood; it also retains the peacefulness of monastic life. Admittedly it is not a wilderness where hermits might retire, since Cluniac houses were never founded far from populated areas, but in all cases a zone was reserved for peace and meditation. The visitor who comes from the modern district around the station in the west and discovers the building in its entirety with its clustered towers, feels that it has become part of the landscape. The town has grown until it has absorbed the monastery and swallowed its church, but the church still nestles in the trees and retains its monastic character. This can be seen from all sides, even from the small island in the river, from where the Basilica appears, hemmed in by the comparatively recent buildings of the Priory.

Walking along this avenue where cars are parked and bowlers meet, the visitor will find himself in the axis of the west porch, facing the two towers. One should note how the gable of the nave is offset to the right owing to the difference between the axis of the narthex and that of the nave, which strikes you as you enter the church.

Likewise the differences in the aspect, style and design of the two towers are clearly seen: the south tower on the right dates from the 11th century, the north tower, on the left, dates from the 12th. The latter is sometimes called ,, Monk-Beware ! Tower " on account of an accident in which a young monk would have lost his life, had Saint Hughes not rescued him. According to some writers the fatal beam was more likely to have fallen from the central tower. At any rate the episode supplies with matter for exegesis the archaeologists who wish to assess the date of the building, besides testifying to the kindness and sanctity of the Abbot and the regard in which his contemporaries held him: he was called " the most loving Father " (amantissimus Pater).

As he comes near the main entrance, the visitor should look at the north side and admire its pure style and ternary arrangement. This fact may have been unduly stressed by the Abbé Cocherat and Huysmans, since the church was to have a longer nave which was never completed owing to Saint Hughes's death, but merely connected with the previous building still visible in our days on the first floor of the narthex. The lower portion of the narthex was underpinned and rebuilt in the last century by Millet, and is not remarkable. The first floor, not normally open to visitors, is more interesting, with its cruciform piles, its bevelled abaci and its barrel vaults, and the original angle from which the nave can be viewed. The door leading into the nave, close by the first north pillar offers some interesting ornamentation; unfortunately it is partly concealed, like that of the south arm of the transept.

The visitor may begin with the aisle of his choice, though he would be well-advised to retrace his steps afterwards for a second visit, to which a Cluniac building with an ambulatory lends itself. Each time the visitor ought to stop at the foot of the second pillar in order to examine the carved capitals which are the only works of figurative art, and above all in order to admire the vistas offered by the nave, the chancel, the ambulatory and the transepts, with their arches and pillars. The pillars soar with a succession of set-offs up to the point where the pointed barrel vault spreads between its transverse ribs. In order to be penetrated by the deep impression conveyed by that great and bold building, the visitor should not allow his attention to be diverted by such details as the curious granite basin at the entrance of the transept, the funeral chapel of the Damas-Digoines or even the Romanesque altar so poorly served by its position at the entrance of the ambulatory. What matters is the crossing, the chancel and the walls. Their incomparable beauty, full of measure and art, is due to the craft of the mastermason more than to the chisel of the stone-cutter. The boldness of the design, the harmony of these admirably preserved stones are exceptional. One should enter the choir, sheltered from the brightest lights and the loudest noises, towards which all the beauties of the church converge. This was the place set apart for prayer and singing, where the sacrifice of mass was offered, the heart of the liturgical ceremonial, so elaborately observed in the Cluniac order. There, in the chancel, we are forcibly reminded that the monks erected this temple in order to pray God and sing His praise.

The ambulatory, that strait gate girding the sanctuary according to the Cluniac plan, was at once strong, elegant and convenient to circulate about the church. The eight columns which border it probably appear more slender and bold to us than they did to our ancestors who had a clearer memory of the colonnades of ancient temples and basilicas. But their disposition at the far end of the building is particularly felicitous. The builder's device which allows heavy masses to rest on them is therefore less interesting in our eyes than his secret design and his religious purpose: those vertical lines confer lightness on the apse and allow the eye to rise beyond the windows, towards the culminating point where Christ sits in Majesty.

The visitor should walk round the ambulatory, step back into the radiating chapels (such was not the purpose for which they were designed) and raise his eyes to look at the filling-in of the vaults and their segments, and stand where the nave and the transept meet. There he will observe the upward thrust of the pillars with their different orders, the pilasters, the embedded pillars, the wall surfaces, the blind windows and the openings, the arrangement of the cornices with their projecting ledges, the egg-and-tongue moulding around the arches, the springers between the windows, the capitals; he will notice that the windows of the upper storey are not splayed, except for definite purposes; he will appreciate the interplay of lights and shadows, and the harmony achieved in spite of the comparatively mediocre and rough-hewn material. Harmony is a fitting term to describe this work of genius in which all the parts, varied as they are, seem to sing in unison: theirs is the song of the Cluniac Benedictines, at once refined and simple, brilliant and vigorous.

The work is far in advance of its time—the early 12th century according to experts. It represents in our eyes the perfect Cluniac type by which we can imagine what the Church of Saint Peter and Saint Paul in Cluny, the finest in the world, so stupidly pulled down in the last century, looked like. The plan and arrangement are similar, though on a smaller scale; the presiding idea is identical. Experts have repeatedly pointed out the recurrence of certain details that were to be used extensively after they had been tested there in that fruitful period of innovation; the daring, the gusto are the same in Paray and Cluny.

Even though archaeology has not said its final word, the church of the Cluniac monks remains a living church. Forever young in spite of its age, rich with the memory of Saint Hughes, Hughes-the-Great, who symbolizes Cluny at its zenith, the Basilica of the Sacred Heart still declares to its parishioners, its pilgrims, its visitors the message of Christ's glory and of His love for us. By inviting us sinners to pray and to repent, the Son of God, who suffered for us, wishes to transform us, to make us into saints through the sanctification of the new birth and of His Divine Love, that we may one day be partakers in His glory.

With the exception of the chapel in the south transept, the Basilica of the Sacred Heart of Paray is *wholly Romanesque,* which may surprise the uninformed visitor.

The lightness and the height of the pointed barrel vault and the groined vaults of the aisles should not mislead the visitor, as the pointed arch was used in Burgundy as early as the 11th century

and the technique of rubble-work vaults is a very ancient one. The Romanesque style of Cluny and Burgundy and the Gothic style must be kept distinct. The difference lies less in the general appearance than in the technique and the presiding spirit. If you compare the ambulatory of Notre-Dame in Paris and that of Paray, you will find that the lighter of the two is the Romanesque one. Likewise the fluted pilasters imitated from ancient models still to be seen in Autun and other places have nothing in common with Renaissance pilasters. The fact is often forgotten, obvious as it is. The art of building may have progressed after the times of Saint Hughes, but it has produced no comparable masterpiece, for technical advances were accompanied by a spiritual decline. Sacred Art became religious and human; and degenerated into virtuosity and naturalism.

Table of Illustrations

240

Basilica of Saint Andoche

Saint-Andoche's Basilica has undergone many vicissitudes through the ages. A first church was built in 306 to house the relics of the Saints Andoche, Thyrse and Felix, but was destroyed by the Saracens in 747. Charlemagne had it rebuilt at his own expense and handed it back to the Benedictines. But it was destroyed again during subsequent invasions and rebuilt at the end of the 11th century under Etienne de Bagé, bishop of Autun. The abbey church was completed and consecrated by Pope Callixtus II in 1119. Unfortunately only the nave—whose floor has been raised—remains, with its admirable capitals: the arm of the transept, the chancel, the ambulatory and the minor apses were destroyed during the Hundred Years' War and clumsily rebuilt in 1704. Such was the martyrdom of Saint Andoche's basilica in Saulieu.

How to visit the Basilica

Less fortunate than its near-contemporary Saint-Magdalen's in Vézelay which stands out boldly on the top of its hill, Saint-Andoche's basilica seems to sulk, not far from nº 6 main road; its fine Romanesque tower with the double leaden dome that was added to it in the 18th cent. and its apse, higher than the nave above which it projects, tend to disfigure the building. But one should not be deterred by an unfavourable first impression.

Built entirely at one stroke, without any alteration, the basilica is the Cluniac church that exhibits the most correct plan and the most elaborate details.

The nave, with its pointed barrel vault, is 59 feet high; the aisles, with their groined vaults, are 31 feet high. The building is 81 feet long and 50 feet wide. Before it was burnt in 1359, it went as far as the present covered market and was longer by 66 feet.

The porch was almost wholly mutilated during the Revolution, then restored in 1869. This restoration has never been completed, which is fortunate. The most rewarding part of the building is the inside where the visitor will admire the capitals, the most beautiful of all Burgundy to our mind.

Beginning with the *south aisle,* he will see on the first pillar on the right the unholy kiss of the wyverns; then, on the second pillar three scenes from the Resurrection: on the left, the holy women leaving their homes; on the right, an angel addresses them; in the centre Magdelene in tears meets Jesus who says " Touch me not ". As in Autun and Vézelay, the face of Christ is truly that of a God, and not, as in the 13th century, that of " the fairest among the children of men ".

On the third pillar, a realistic piece of carving, Judas hanging himself; on the opposite side of the same capital, acanthus-leaves carved in an unexpectedly grotesque, almost baroque, style.

On the fourth pillar, the Flight into Egypt, with Mary riding a donkey on wheels, and tenderly clasping her child, and Joseph wearing a turban. On the same pillar, a cock-fight carved with gusto: the owners of the cocks give vent to their feelings; the one on the right proclaims his cock's victory while the other tears his hair with rage.

On the fifth pillar, a strange pastoral scene: a small Byzantine shepherd sounds his oliphant and rides an animal on whose head—a mask from a Roman tombstone—two confronted goats are dancing; they betray a Persian-Sassanian influence, whereas the neighbouring piglet comes straight from our Morvan. Two palms issue from the mouth of the monster and run round the whole scene until their tips meet near a cave-bear. At the back of the same pillar, Minerva's owl.

North aisle. On the fifth pillar, exactly opposite the one we have just examined, the Roman she-wolf; lean and fierce-looking, with her tail between her legs. Facing this pillar, on the north wall, Sagittarius.

On the fourth pillar, two confronted boars, with two personages pulling them by their tails; the one on the right wears breeches and a sagum, and wields a hammer; the one on the left wears a peplum and is armed with a stone. Do they represent a Gaul and a Roman, an episode in the history of Saulieu, or the two etymologies: the *solis-locus* of the Gauls and the *sedelocum* of the Romans? This is a question for scholars to debate.

On the third pillar, the first temptation of Christ in the wilderness: Satan hands a big round stone to Christ: " If thou be the Son of God, command that this stone be made bread ". Behind Christ, an angel with outspread wings reminding us of the verse: " and behold, angels came and ministered unto him ". On the same pillar: the doves and the bird-catcher.

On the second pillar is found what is undoubtedly the finest capital: the false prophet Balaam. Balaam rides his ass, gifted with the power of speech; apparently the beast and her master spoke such nonsense that the Lord sent an angel with a naked sword to put an end to it. Such is the scene on the capital: the angel stands on the walls of the city out of which he must keep them, and the ass, dazzled at the sight of the angel, turns her head and bends her knees while Balaam, who has seen nothing, strikes her with his crook. The frightened beast tells her rider: " Why do you strike me? The angel was sent by the Lord ". This interpretation is not warranted by the Scriptural text (Numbers, XXII, 22-36) but is forcibly suggested by the scene. Since Balaam wears a monk's hood and cowl, and wields a crook, one shudders at the thought that it might be the caricature of a Most Reverend Father Abbot. His spurs ans stirrups remind us of a knight starting for a Crusade, and make him appear even more grotesque.

Those unforgettable capitals do not enjoy the fame which they deserve. One should see also the tomb of Saint-Andoche, placed under the high altar and partly restored. It is a sarcophagus of Carrara marble, 6 feet long, 2 feet 8 inches high and 2 feet wide; it is a kind of hollow trough with rounded ends and a high convex lid. One should note Christ's monogram XP enclosed in a double circle with the alpha and the omega; the monogram also appears on the lid surrounded by a geometrical pattern. A border of vine-branches and grapes, an axe, a stag, a Greek cross with the tips of its four arms splayed, will also be found, as well as a runic sign not unlike our N, from which it might be inferred that the sarcophagus was initially a pagan tomb.

The 14th century stalls in the chancel, though sadly mutilated, can still boast a fine panel: the Flight into Egypt, in a typically Burgundian style.

The treasure consists mainly of the " Missal of Charlemagne " in the sacristy, with two distinct pieces: the cover and the manuscript. The cover is made up of two 6th century ivory plates fitted into two boards of beech-wood plated with chased silver in the 11th century. An 11th century manuscript on parchment has taken the place of the original manuscript stolen during the Invasions; it gives the late-latin text of the Gospel for every Sunday of the year, without illumination. Thus the Missal has become an Evangeliary. The ivory plates show: on one side, Christ in Majesty with Saint-Peter and Saint-Paul; on the other, the Holy Virgin with the infant Jesus on her lap, surrounded by worshipping angels: a Byzantine influence is clearly discernible.

Finally, we must mention the small porch in the south aisle which formerly gave access to the cloister; its semicircular arch is decorated with a row of dog-tooth ornament and a row of alternating billets, with a trefoil in the tympanum. The stern, monacal style of the whole is in perfect taste.

The capitals are the most outstanding among the treasures which have survived the martyrdom of Saulieu: carved by the hand of an exceptionally skilful craftsman, they also betoken an exuberant imagination and a mind rich in candour and humour.

No wonder, then, that the capitals were admired and imitated in the very century of their creation. At Autun, one can find them in an inverted order: the Flight into Egypt, the cock-fight, Judas hanging himself, Christ appearing to Mary-Magdalene, the Temptation in the Wilderness, and even Balaam, also to be found in the beautiful little Romanesque church of La Rochepot, between Saulieu and Chalon. But the deeply-moving human element in the Saulieu capitals places them above those of Autun, admirable as they are. We are less deeply touched by the Autun Virgin of the Flight into Egypt, or by Judas, or even by Mary Magdalene. It is in the cockfight that the mastery of the Saulieu sculptor is most conspicuous, such is the art of the chiselling, the perfection of the rhythms and the lightness of the volumes.

Let us pay therefore to Saulieu the homage to which it is entitled: it is one of the most genuine among the medieval masterpieces that have come down to us. Within its unpretentious, typically medieval limits, it achieves a remarkable plenitude and comes as near perfection as can be wished.

In very few places or sanctuaries has the Faith of our Fathers found such a direct, candid utterance. These masterpieces at Saulieu were created before the Gothic era, when art was to lose some of its intensely sacred character. They date from an age when Faith, exacting as it was, did not exclude laughter, when works of art struck their roots deep in everyday life, the better to convey their moral lessons.

In spite of its martyrdom, Saulieu can still teach us many such lessons.

Inventory of Autun

The Cathedral of Autun

Saint-Lazarus' Cathedral one of the finest buildings of Romanesque Burgundy, has been described with unforgettable verve by its choir-master, the Abbé Denis Grivot, in " Le Monde d'Autun " a volume in our series " Les Points Cardinaux ".

Pope Calixtus the Second and Etienne de Bagé, bishop of Autun, initiated its construction, which took place between 1120 and 1140 approximately. In the 15th cent., the tower and the choir-vault were destroyed by lightning. Cardinal Rolin, bishop of Autun, seized the opportunity to set up an enormous spire and repair the chancel. He had statues erected everywhere, a parasitic accumulation which was removed in the 18th cent But they went even too far, destroying the tomb of Saint-Lazarus, covering with marble the choir-walls, plastering over the tympanum, initiating a work of destruction which was carried on by the Revolution and (in part), by the 19th cent. restoration.

Abbé Grivot, by replacing the head of Christ in the tympanum, made the rediscovered youthfulness of the Autun statuary perceptible. Then, with irresistible humour, he drew up a rambling inventory of it, which the limited space at our disposal unfortunately forbids us to translate.

Seen from the *outside,* the cathedral of Autun does not seem to be Romanesque: so many additions were made in later centuries to the original main walls and were so skilfully incorporated that the main walls have almost disappeared.

The most important and the most impressive element is the late 15th cent. spire, which towers 270 feet above the ground, without any interior framework. One can guess what an impressive perspective it affords to anyone who ventures within its base...

The two towers of the west front are the work of the 19th century restorers who copied the towers of Paray.

But the most beautiful part of the exterior is, of course, the tympanum of the west porch—a Romanesque piece of work, this, and one of the finest in France. The tympanum was carved between 1130 and 1135 by Gilbert or Gislebert "Gislebertus hoc fecit". Its theme is the Last Judgment. In the middle an immense Christ in Majesty in the centre of a glory supported by four angels. Sitting on the right side of Christ (consequently on our left) Our Lady is seen; sitting on His left (on our right) two personages: Saint-John and perhaps Saint-James.

"Let us return to the left side of the tympanum" says Abbé Grivot in his guide to the Cathedral. There we see nine apostles, bewildered by what is happening to them, holding their heads and as it were fascinated by the grandeur of the scene they are witnessing. Saint Peter alone turns his back: with his head tonsured and his key on his shoulder, he is guarding heaven which is represented by three tiers of arcades. A few blessed souls are still in it, while a figure, pushed by an angel, endeavours to enter heaven by "the strait gate".

The twelfth apostle, Saint Matthew, stands close by the left hand of Christ, with the Gospels carefully propped against his breast.

We are now reaching the crucial moment of the Judgment, when souls are weighed. Presiding over the ceremony, Saint Michael, distinguished-looking with his long wings and robes, presses on a scale of the balance, while a devil pulls at the balance-beam; along the chains, the soul which has just been favourably judged is lifted from the earth and seems to be drawn upwards by Christ.

At the end of the tympanum is the den of the devils with all their paraphernalia.

The lintel shows the resurrection of the dead who awake and leave their coffins in a neat row along the lintel. On the left the elect are rising; among them two bishops with their croziers, some monks, a family and, almost in the centre, two pilgrims wearing only their wallets on which the scallop and the cross are seen. They both carry their staffs on their shoulders and the first

of the two treads on the only spot of greenery of the tympanum, to show that he is coming on foot.

In the centre of the lintel, just beneath Christ's feet, the Angel of Separation, sword in hand, turns out a terror-stricken damned soul. The position of the damned, aligned on the righthand part, speaks for itself; details are sparse, but the mere position of their doubled-up bodies sufficiently bespeaks their fright. They do not embody characteristic vices, except three of them: the second on the right, the drunkard, hopelessly beating on his empty barrel; Lechery, a woman with snakes devouring her breasts; the Miser, with his sack hanging from his neck, beside a damned soul seized between the devil's claws...

In spite of its unpolished appearance, this is a highly organized work: the figures are not scattered at random but arranged along the lines of the underlying structure. Besides, the plenitude of God's charity is rendered by the extraordinary crowding of the left half, whereas the right side shows the wall behind the figures that stand out from it, symbolizing the dreadful and lonely selfishness of Hell. But this does not impair the unity of the work, and we are grateful to Gislebert for allowing us to think that there will be a good many elect, though the stress is laid on the distress of the damned and the compassion of the blessed towards them.

All around the tympanum, an admirable zodiac is intermingled with the labours of the corresponding months.

The first impression one receives *inside* the cathedral is one of diversity. As a matter of fact the upper part of the choir and the side chapels are of 15th cent. date, but the nave, the aisles and the lower part of the choir are Romanesque. So are the fluted pillars in spite of their 18th cent. appearance. They were undoubtedly inspired by the Roman monuments still standing at the time, such as the Porte d'Arroux still to be seen in the outskirts of the town.

The following are the most remarkable among the Romanesque capitals to be admired as one walks round the church:

South aisle: First pillar: the body of Saint-Vincent protected by eagles. Second and third: the rise and the fall of Simon Magus (the latter a true masterpiece). Fourth pillar: the washing of the feet (a strange piece of carving, baroque in spirit) facing the fourth musical tone. Fifth pillar: the stoning of Saint-Stephen, facing Samson overthrowing the lion. Sixth pillar: Noah's Ark, facing Samson shattering the Banquet-House (a remarkably powerful and candid piece of carving). The capitals in the choir are mostly copies of originals to be seen in the chapter-house. Nevertheless one must mention the first Temptation of Christ at the end of the south aisle, on the left pillar of Saint-Léger's Chapel.

Passing behind the altar, one will find, as a pendant to the Temptation of Christ, the healing of the man blind from birth and the story of Zacchaeus (in which Zacchaeus and his wife at the window are particularly amusing). Opposite: Lechery. Then copies of capitals as far as the part of the aisle running along the nave. On the first pillar (the fifth from the entrance-porch), one finds the Apparition of Christ to Magdalene, a famous capital, many times reproduced, and of an extreme delicacy. Opposite (fourth pillar): Daniel in the lions' den, the composition being particularly felicitous. On the opposite side: the Temptation of Christ. Opposite the third pillar, on the other side of the aisle: a cock-fight. On the second pillar: the three young Hebrews in the furnace, one of the finest capitals in the cathedral. Opposite the first pillar, on the other side of the aisle: Christ's Nativity.

The martyrdom of Saint-Symphorien, a huge painting by Ingres will be found in the third chapel on the left as you walk along the north aisle from the entrance-porch.

You are advised to visit the chapter-house, at the end of the south aisle, near the choir; there you will see a number of capitals which were stored there when the church was restored and which are adequately displayed for closer inspection. Among others: the unforgettable Flight into Egypt, a widely-known piece of carving, one of the finest in the world; the Adoration of the Magi; the offering of a church; the famous Awakening of the Magi; Virtues and Vices; the astonishing Death of Cain; a fight between dwarfs and ostriches. This rewarding visit allows you to come near some of the wonders of the Romanesque art of Burgundy.

After leaving the cathedral, one should walk down the rue des Bancs and visit the Musée Rolin, 150 yards away, on the right, which contains, among others, four outstanding pieces.

First and foremost, the famous Eve, the largest piece of Romanesque carving still in our possession. This long reclining figure, extraordinarily powerful, measures no less than 4 ft. 2 ins. Formerly its place was above the door of the north transept, towards the exterior, opposite one of Adam which unfortunately lies buried in the wall of some private house. This enormous lintel must have been one of the finest ornaments of the cathedral: what remains testifies to the importance of the work.

Beside it, an Assumption, also from the cathedral; although mutilated, it is an admirable piece.

In the Rolin Museum is to be found the celebrated Nativity by the Master of Moulins, one of the masterpieces of Jean Perréal, painted *ca.* 1480. We have reproduced a detail of the head of the Virgin in colour (in its original size) in the Autun volume of our series " Les Points Cardinaux ". This work, small in size, is one of the most beautiful ever painted in France: a series of fragments of great value gathered together as if by chance.

Next to it, the 15th cent. Virgin of Autun with her swaddled babe, a fine specimen of the Burgundian style of that period.

At Autun, we are confronted with medieval Christian spirituality in its full splendour. The

humility of Autun, its pure and childish charm are so typically Christian that they never were and never will be equalled.

Not that it is impossible to find more admirable works of art, but none was created with the same apparently unconscious ease, the same stupendous, unrivalled simplicity, even though the spirit of Autun lives in it.

Table of Illustrations

Vézelay and its Universe

The Magdalen of Vézelay

Saint-Magdalen's in Vézelay is undoubtedly one of the most famous Romanesque sanctuaries in France and in the world. The situation of the church on its hilltop, the admirable hues of its stones, its vast proportions, its wealth of capitals and, above all, the extraordinary tympanum of its narthex account for the reputation of the monument, one of the finest in France.

It is all that survives of the Benedictine abbey founded in the 9th century by Girard of Roussillon; the relics of Saint-Mary Magdalen having been brought there (*ca.* 880), it soon became famous and pilgrims came in such numbers that it soon became necessary to rebuild and enlarge the church (1096-1104) which has remained to this day. A narthex was added *ca.* 1130, then a Gothic chancel *ca.* 1180. The preaching of the second Crusade by Saint-Bernard, the meeting between Philippe-Auguste and Richard Cœur-de-Lion before their departure for the third Crusade have immortalized the place. Its subsequent history is less fortunate: it is a tale of fights and quarrels, at one time so bitter that the abbot was murdered, of plundering and killing under the Protestants, then under the Revolution. The building was about to fall down when Viollet-le-Duc restored it (1840-1860) saving the place from destruction and giving it a new lease of life.

How to visit the Basilica

It is chiefly when seen from a distance that the church of Vézelay fills one with admiration. Its huge body stretches itself on its hill-top, under the shelter of its towers. Seen from a near distance, the west front is disappointing, so thorough has been its restoration; besides, the indispensable buttressing of the nave-walls conceals their sturdy simplicity. But the ancient Antonia Tower over the transept is enough to make up for such losses.

It is undoubtedly one of the finest Romanesque towers still extant, and one never wearies of beholding it.

On *entering the church,* the visitor is immediately struck by the harmony of the bays of the nave, by the luminousness, the iridescent colour, the gorgeous—yet simple—decoration of the place. For instance the string-course which runs all along the nave, under the vaults and round the abaci of the upper capitals, with the bold and steady rhythm of its ample folds, is enough to show that the decorator of Vézelay ranks among the best.

If we walk along the *left aisle,* we find on the capital of the *first pillar* the parable of Lazarus and Dives; then the famous Mystic Mill, one of the best-known Romanesque works of art. The Old Testament is a sack of fine grains whose substance, concealed under figures and symbols, cannot be digested until the Mystic Mill (Christ) has ground and revealed it in the New Testament; the two personages are Moses and Saint-Paul.

On the *next pillar:* Libra and Gemini; then the conversion of Saint-Eustace; an admirable capital, full of fire and life, truly representative of the virtuosity of the Vézelay artists.

Lechery and Despair, on the *next pillar,* testify to the violence with which people spoke and were heard in that time.

By crossing the door at the end of this south aisle, one enters the *narthex,* the finest portion of the basilica. This wide narthex has three tympanums corresponding to the two aisles and to the nave of the church.

It is, of course, the central tympanum which is the most remarkable owing to its exceptional size, the boldness of its style and its astonishing majesty.

Few Romanesque tympanums are as impressive as this one; in it resides the true greatness of Vézelay. This is why we have confined ourselves to this portion of a monument which could not be excluded from this volume: the heart of Romanesque Burgundy beats in it.

Here is the central idea of this huge stone surface, summed up by Dom Eloi Devaux: " The porch of Vézelay represents Pentecost, undoubtedly, but not the historical fact as told in the Acts of the Apostles. This Pentecost is more properly the Mystery of Christ the Supreme King, the Mystery of Universal Salvation, in all times and places, through the glory of Christ and the life-giving power of the Holy Ghost. It is a lesson in theology a source of endless wonder for our faith and our contemplation.

" A gigantic Christ, represented with enormous hands in order to create and perpetually re-create the cosmos, and all the attributes of His power and His divine glory: throne, royal coat, almond-shaped glory, cruciform nimbus (for we are saved through His cross)... His hieratic face, gazing into Eternity is the only motionless part of the tympanum. A mysterious radiance emanates from Him, stirs His robes, comes out of His hands and flows on to the twelve Apostles. Holding the Book, they set out to spread the Gospel and impart the Spirit they have received to those strange nations of pygmies, giants, cynocephali, long-eared men, who flock towards Christ. The roundels of the Zodiac symbolise the permanence of this evangelisation, the presence of God in the most humble tasks of man. The Old Testament itself is subjected to this influence of Christ: above His hands, the manna and the water from the rock " (possibly Heaven and Earth). " At His feet, on the door-mullion, John-the-Baptist points with his finger at " the Lamb of God that takes away the sins of the world ". Thus the whole Mystery of Salvation, the whole Creed, the pride of the Christian, can be read in this parable in stone. It is a great story for the children of God, full of optimism, of child-like innocence, with an occasional touch of playfulness, (e.g. the pygmy using a ladder to mount on his horse, the little Burgundian scenes of the Zodiac and all the capitals inside the church). All this is instinct with a wholesome, innocent purity, with a child-like spirit perfectly in keeping with the spirit of the Gospel. But it is also a theological spirit, keenly aware of the role of Christ and of His divine nature ". *(Zodiaque,* n° 2, pp. 4-10).

The two side tympanums are far behind the central one in point of greatness. That on the right (south) tells the childhood of Christ with a delightful simplicity, whereas the one on the left (north) shows the apparition of Christ to the two disciples at Emmaus and, in the upper part, His Ascension. Christ seems to be carried irresistibly upwards as in a swirl.

On the capital of the jamb of the *south tympanum,* one should note the angel proclaiming the Good News, which is one of the wonders of Vézelay. With his whole being he seems to call us to a Crusade, to a fight ending in the triumph of Christ.

It is time to re-enter the church through the north proch, after a last glance at the narthex and its central tympanum (which, incidentally, is best seen when the doors giving on the street are closed; otherwise the relief of the carvings is lost).

Having walked out of the narthex into the *north aisle,* we should admire its surprising width and its admirable proportions, as in the south aisle. As we proceed along the north aisle towards the chancel, the following capitals will be found:

Second pillar: the punishment of the Miser. *Third pillar:* Judith and Holofernes (by Viollet-le-Duc...). *Fourth pillar:* Jephthah's vow, then David and Goliath. *Fifth pillar:* the death of Absalom. *Sixth pillar:* Moses and the Golden Calf (the Devil is remarkable). *Seventh pillar:* the hermit Saint-Anthony with his two lions digging the grave of the anchorite Saint-Paul. *Eighth pillar:* the vision of Saint-Anthony, carved with exceptional zest and liveliness. On the *embedded pillar* in the north wall, opposite the eighth pillar, the two hermits Anthony and Paul sharing their loaves of bread. On the *embedded pillar* in the same wall, opposite the fifth pillar (Absalom's death); Dives' Feast, an admirable piece of carving, with Dives sitting in the center and three coupled windows skilfully distributed on each side of him.

On the *ninth* and last *pillar:* Adam and Eve, the oldest capital in the church, carved in a some-what clumsy style.

Then we reach the Gothic *transept* and *chancel;* it is not easy to pass judgment on that portion owing to the discrepancy between its dazzling whiteness and the delicate colouring of the Roma-nesque nave. But the place must have offered an altogether different aspect when it still had its stained glass windows and its frescoes (some traces of these can be seen on the pillars in the north part of the ambulatory). Nevertheless the difference between the Romanesque and the Gothic style is best apprehended when, standing in the middle of the nave below the steps, you look at the nave, then suddenly turn round and face the chancel.

You may also visit the *crypt* and the portion of the *cloister* reconstituted by Viollet-le-Duc, with the chapter-chapel adjoining it.

But you must walk down the *south aisle* in order to make the complete round of the church. Starting from the transept, you will find on the *third pillar:* Jacob fighting the Angel. On the *fourth pillar:* Daniel in the lions' den, then Saint-Martin ordering a pagan sacred tree to be felled. Opposite, on the south wall, Music and Lechery, a powerful piece of carving which speaks for itself. Finally, on the *fifth pillar,* the four winds, a fine piece of craftsmanship.

With a few minutes to spare (and a pair of binoculars), you are advised to look at the capitals in the nave, in the upper sections of the pillars, where Biblical scenes will be found, in particular Noah (south side, *second pillar* from the narthex), Adam and Eve (north side, *fourth pillar),* Cain and Abel (north side, *fifth pillar).*

A complete visit includes the fine panorama to be enjoyed from the terrace.

It is impossible to leave this home of prayer without being keenly aware of the peace and strength radiating from the central tympanum of the narthex. This is an unforgettable vision of faith which, better than any sermon, testifies to the unrivalled greatness of mind of those who conceived and carved it in the first half of that incomparable age: the 12th century.

Table of Illustrations

Das universum von Tournus

Die Abteikirche St Philibert

zu Tournus ist eins der grandiosesen Baudenkmäler des Hochmittelalters, das Burgund noch besitzt. Durch ihre kühne Konstruktion, ihre Ausdehnung und Kraft, durch ihre massive Breitschultrigkeit versetzt sie den Besucher in eine ganz andere Welt, als er gewohnt ist zu sehen. Es genügt, einige Schritte in der Vorhalle (Narthex) oder im Schiff zu machen, um alsbald zu begreifen, wieviele Probleme dieses Bauwerk den Archeologen stellt. Diese Kunst ohne gemeinsame Beziehungen zur romanischen — ausgenommen im Chor des Baues — in welche Zeit soll man sie hineinstellen?

Man weiss, dass Abt Stephan, der 960 zum Abt gewählt worden war, eine grosse Rolle spielte beim Bau der Kirche und dars Abt Bernier im 11. Jahrhundert das Werk seines Vorgängers, das stark unter einem Brand gelitten hatte, fortsetzte. Am 29. August 1019 wurde die Kirche konsekriert. Es ist das goldene Zeitalter von St. Philibert: St. Ardain, Abt von 1028-1056, ist der Beweis dafür. Seine Liebe gegenüber den Armen ist sprichwörtlich geworden. Aber man baut und erneuert immer wieder. 1120 findet eine neue Konsekration statt. Dann kommt bald der Niedergang und schliesslich im 17. Jahrhundert die Saekularisation der Abteikirche, die zur Kollegialkirche wird.

Im 19. Jahrhundert restauriert, ersteht St. Philibert neu aus seinen Ruinen. Besonders seitdem das Internationale Zentrum für Studien der Romanischen Kunst es zu m Ausgangspunktseiner Bewegung gemacht hat, durch diese Wahl die ausserordentliche Jugend des alten Meisterwerkes beweisend.

248

Besichtigung der Kirche

Die Fassade von St. Philibert, die man von der Strasse Paris-Lyon aus erblickt, genügt, um das ganze Bauwerk zu charakterisieren. Die ungeheure Mauer von ungefähr 28 m Höhe, in einem einzigen Aufstieg, ohne Hilfe von Strebepfeilern, mit ihren engen Oeffnungen und dem wunderbaren Spiel ihrer Steine, zeigt uns zur Genüge, dass in Tournus der Maurer König ist.

Ungeheure Massen, bewundernswerte Licht- und Farbenspiele zeugen vom Werk des genialen Architekten von St. Philibert. Aber überall spürt man die Hand des Maurers. Er allein weiss diese grossen Flächen, diese drückenden Pfeiler oder diese nüchternen Mauern zu mässigen, indem er sie mit etwas aufhellt, entweder durch vertikale Bänder, oder durch das Einsetzen von Sägezähnen; alles Erfindungen, die ein aufmerksamer Blick auf den Mauern vor Tournus bald entdeckt hat.

Der Nordturm geht in einen Glockenturm über, der natürlich aus einer späteren Zeit stammt, als der Rest der Fassade; zwar ist er pittoresker, aber weniger nüchtern, weniger schön ohne Zweifel als der prächtige Südturm mit seinen unnachahmbaren Proportionen.

Es genügt in den Narthex einzutreten, um mit einem Schlage alles zu erfassen, was die Fassade ankündigt. Dieses strenge, nüchterne Bauwerk ist eine Kirche und nur das. Daher dieses Suchen eines geistigen Klimas des Stillschweigens und der Sammlung, das geeignet ist die Begegnung des Menschen mit Gott zu erleichtern. Ein Stück Architektur wie dieser Narthex gibt leicht Rechenschaft von der Mentalität seiner Urheber. Es waren beschauliche Menschen, Menschen die aufs Ganze gingen. Deshalb spielen hier die Massen allein, onhe Zuhilfenahme dieser Ausflüchte, wie nun einmal Skulptur und Malerei trotz allem sie darstellen. Allerdings ist die Malerei nicht ganz abwesend: Ein Fresko, leider sehr verwischt zuäusserst im Mittelschiff dieses Narthex, zeigt uns an, dass im 12. Jahrhundert alles bemalt war. Und gewiss, der Anblick davon muss sich der Mühe gelohnt haben. Aber schliesslich genügt sich die Architektur dieses Narthex, entkleidet von jeder Beifügung, selbst.

Vor dem Eintreten in die Kirche ist es gut, in den oberen Stock des Narthex zu steigen. Hier findet sich die Kapelle St. Michael, die vielleicht das schönste Wunderwerk von Tournus ist. Möglich auch, dass es viele Besucher gleichgültig lässt; denn seine Schönheit ist nüchtern, ohne Lockungen. Es ist sogar eine strenge Schönheit; Licht- und Schattenspiele, Spiel der Massen und der Steine. Das was im unteren Stock sich schloss über einer fruchtbaren Dunkelheit, bricht hier in Helligkeit, Schwung und Weite auf. Man kann den Kopf heben, ohne Angst haben zu müssen: In dieser Kapelle ist alles Werk von Meisterhänden. Eine ausgedachte Verteilung der Steine am Gewölbe

erlaubt es, den Schub auf die Stützpunkte auszugleichen, die unheimliche Last dieser Gewölbe auf die Pfeiler und Mauern zu verteilen. Denn diese Architektur kennt den Strebepfeiler nicht; sie verlässt sich nur auf die Mauern. Deshalb gibt sie ihnen auch eine erstaunliche Dicke. Und doch, indem sie die Oeffnungen nach innen stark erweitert, wird das, was von aussen nur Schiesscharten und Schlitze waren, im Innern zu Fenstern und verbreitet ein mildes Licht auf den Boden. Aeusserste Wissenschaft in der Verteilung der Oeffnungen, die bei grosser Sparsamkeit der Mittel erlaubt, zu ungeahnten Resultaten zu kommen.

Wenn St. Michael den Besucher nicht für sich gewonnen hat — und das wäre sehr schade für den letzteren — dann wird gewiss das Schiff ihm Genüge leisten. Mit seinen ungeheuren Pfeilern aus rotem Sandstein, die direkt auf dem Boden oder höchstens auf einer kleine Platte stehen, dann besonders mit seinem feinen und so originellen Spiel des Mittelschiffgewölbes, gebildet durch eine ausgedachte Folge von quergestellten Tonnengewölben, was eine Beleuchtung von seltener Milde erlaubt, da alles Licht durch Reflexion verbreitet wird. Dieser Teil des Baues ist einer der erdrückendsten: der Wagemut der Proportionen, der Schwung der Pfeiler, das wuchtige Gleichgewicht der Massen geben diesem Ganzen wirklich einen einzigartigen Charakter. Es gibt hier gleichzeitig etwas Kolossales und etwas Luftiges, das einen in Staunen versetzt. Man denkt unwillkürlich an diese aegyptischen Bauten, die ebenfalls durch ihre Leichtheit und ihre Kraft überraschen. Tournus findet ohne Zweifel diese Meisterschaft wieder und hieran liegt es vielleicht, warum sich St. Philibert so sehr vom uns geläufigen, romanischen Universum unterscheidet, das ja den aegyptischen Perspektiven so ferne steht.

Warum hat diese Decke mit Quertonnengewölben nicht mehr Nachahmung gefunden zu ihrer Zeit? Man kennt nur ein einziges anderes Beispiel einer Kirche, die nach dieser Art gebaut ist: die von Mont Saint Vincent, übrigens ein Nachbarin von Tournus. Und doch hat diese Art von Wölbung grosse Vorteile: einer davon ist die Festigkeit, denn sie verteilen den Schub des Gewölbes auf die Masse des Querschiffes, das gestützt wird durch den mächtigen Turm aus dem 12. Jahrhundert, und auf die gleichlaufende Masse des Narthex und der Fassade. Ein anderer Vorteil ist die Beleuchtung, die sich daraus ergibt: Mildes, gedämpftes, feines Licht, das mit demjenigen anderer Bauten nicht zu vergleichen ist.

Man wird gerne die beiden weiten Seitenschiffe mit ihrer überraschenden Erhöhung betrachten, wie auch die Rückmauer gegen den Narthex und die Kapelle St. Michael.

Im südlichen Seitenschiff befindet sich die Statue der Notre-Dame la Brune, 12. Jahrhundert, aus Auvergne stammend; mit ihrem Jesusknaben — schon ein reifer Mann — der sich aufmacht die frohe Botschaft zu verkünden, ein Werk von eindrucksvollem Ernst.

Das Chor enttäuscht. Das kommt daher, weil es

im Vergleich zum Schiff zu klein ist. Ausserdem wurde es stark romanisiert, und eine unglücklich aufgetragene Tünche verunstaltet es vollends. Eine gründliche Reinigung würde es vielleicht aus diesem Elend erretten, desgleichen das Querschiff mit seiner enormen Kuppel, die uns in eine besser bekannte Welt führt : in die gewohnte romanische Kunst.

Der Maurer verschwindet; ein grosses Gepränge tritt an Stelle des gehauenen Steines von früher, und der Bildhauer tritt in Erscheinung. Am Fusse des ersten Pfeilers, im südlichen Querschiff, findet sich eine Inschrift in wunderbaren Unzialen : RENCO ME FECIT. Es ist ein weiter Weg von dieser vollkommenen Inschrift zurück zu den ungelenken Buchstaben der sogenannten Gerlannus-Inschrift auf dem Triumph bogender St. Michaelskapelle ; so wie auch der Weg weit ist von den Kapitellen des Querschiffes zu den mächtigen aber rohen Reliefs des gleichen Triumphbogens von St. Michael. Wir haben mit einigen Schritten erstaunlich grosse Zeitabstände hinter uns gelegt.

Man muss noch in die Krypta hinunter steigen. Sie ist es ohne Zweifel, die den Erbauer des Chores zwang, so kleine Proportionen zu wahren. Diese Krypta war in der Tat der geweihte Ort, wo man schon seir langem die Reliquien des Heiligen aufbewahrt hatte. Es war geziemend, diesen ersten Zeugen, den besonders verehrungswürdigen und verehrten Ort, in der Kirche zu wahren. Diese Krypta ist besonders bemerkenswert durch ihr Gewölbe, durch ihren Brunnen in der Mitte und die römischen Säulen, die um diesen Brunnen herumstehen.

Wenn man den Rundgang aussen um das Gebäude herum macht, wird man sicher die Schönheit der Mauerverzierungen auf der Nordfassade des Narthex bemerken. Man wird auch die Kühnheit inne werden, die den Architekten antrieb, eine so eindrucksvolle Masse, wie die des Vierungsturmes über dem Chor, das selber auffallend klein ist, aufzusetzen. Dieses Verhältnis von zwei, wie es scheint, so verschiedenen, so entgegengesetzten Inhalten ist trotz allem bewundernswert.

Es bleiben noch viele Spuren vom alten Kloster. Das schönste Stück ist ohne Zweifel der grosse Saal des alten Refektoriums, "Ballon" genannt, weil man dort Ball spielte. Dieser Saal, der neulich wieder in Stand gestellt wurde durch das Internationale Zentrum für Romanische Studien, ist eindrucksvoll allein duch seine Ausmasse und seine schönen Mauerverzierungen. Keller, Kapitelsaal, Abtwohnung, Reste vom Kreuzgang und ein Heizraum erinnern uns daran, dass diese Mönche es glänzend verstanden, den Anforderungen ihres gemeinschaftlichen Lebens Genüge zu tun, während die alten Türme daran erinnern, dass sie in bewegten Zeiten auch ihren Frieden zu wahren wussten.

Vor dem Fortgehen treten Sie noch einmal in den Narthex ein. Sie werden fühlen, dass dieser Friede nicht so sehr physisch als vielmehr geistig ist. Darum konnten ihn die Zeiten nicht verdunkeln. Dieser Friede ist nicht die Angelegenheit einer Zeit oder eines Augenblicks des Daseins, er ist mehr eine Sache der Ewigkeit. Dieser Friede kann also

nicht verschwinden. Er hat das Gebäude in dem Maese durchdrungen, dass er sich in ihm wie verkörpert, dass es von ihm wie durchtränkt scheint.

Ein Bauwerk wie St. Philibert ist ein Zeuge. Hinter ihm ahnen wir eine Welt : die Welt der Mönche, die ihm das Leben gab. Und diese Welt ist keineswegs tot, sondern lebendig. Der Geist hört nicht auf, diesen Steinen Leben einzuhauchen und St. Philibert hat seit seinen ersten Tagen nicht aufgehört, die Wohnung Gottes zu sein.

Heute wie gestern und morgen erhebt Tournus seine Türme im Tal der Saône und sagt dem Touristen, der eilig auf der Strasse vorüberzieht, dass wir keine bessere Heimstätte auf unserem Lebensweg finden können, als diejenige, von der das Gebäude aus Stein nur ein Bild ist : die heilige Kirche Gottes... Das ist schliesslich die beste Lehre, die St. Philibert uns zu geben hat.

Tafel der Abbildungen

Licht von Paray

Paray-le-Monial

Wie sein Name besagt, trägt Paray-le-Monial den Charakter der Gegenwart der Mönche, die, wenn sie auch die Stadt nicht gegründet, so ihr doch ihre Bedeutung gegeben haben.

Zu jener Zeit handelte es sich um Mönche aus dem Orden des heiligen Benedikt, die sich bald dem Kloster Cluny anschlossen.

Heutzutage sind keine Benediktiner mehr in Paray, doch die Stadt verdient immer noch ihren Namen. Dies nicht nur wegen der zurückgelassenen Erinnerung an die schwarzen Mönche oder wegen des prächtigen Bauwerkes, das sie zum Lobe Gottes errichteten, sondern auch wegen der ununterbrochenen Folge des monastischen Lebens und des Gebetsgeistes, der sichergestellt ist durch die zahlreichen religiösen Genossenschaften, die auf dem Boden der Stadt ihr Heim gefunden haben.

Besichtigung der Basilika

Man kommt auf Wallfahrt nach Paray. Dies schliesst aber eine Besichtigung nicht aus.

Die Rue de la Visitation (Strasse der Heimsuchung) hinabgehend, entdeckt der Pilger auf einmal den nördlichen Arm des Querschiffes, den mächtigen Turm und den Apsidenteil der Basilika. Er wird ganz natürlich angezogen von dieser Pforte eines »orientalischen Palastes«, die sich ihm gegenüber öffnet (1).

Man kann nicht genug anraten, langsam vorzugehen Wir schlagen vor, zuerst einen Rundgang im Parc des Chapelains zu machen, um dort von aussen die echt cluniazensische Stockwerkanlage der ausstrahlenden Kapellen mit ihren Apsiden und Giebeln zu sehen; sodann die Hauptapsis, sowie den Giebel mit dem gut aufgesetzten Glockenturm über der Vierung. Alles hängt vom Augenblick und von der Stunde ab und natürlich auch von der Zeit, die man zur Verfügung hat. Aber wer sich hier nie allein aufgehalten hat, kennt nicht die Atmosphäre

von Paray, die aus Schweigen und Licht besteht, schon ausserhalb des grossen Schiffes.

Wahrhaftig ! Paray ist das »Goldene Tal« (Val d'Or), das man vom Hügel des ersten Klosters aus beherrschte. Paray ist die Stille der Mönche. Gewiss, es ist nicht die Wüste, wo die Eremiten sich verbergen; aber wenn auch Cluny seine Klöster in der Nähe der Zonen menschlicher Beziehungen erbaute, so ordnete es doch — wie es sich gehört — einen Abstand der inneren Sammlung an. Wer vom Westen, vom modernen Bahnhofsviertel herkommend, die Gesamtheit der Türme und des Baues vor sich sieht, merkt gut, dass das Ganze in eine Landschaft hineingestellt ist. Die Stadt ist ans Kloster herangekommen, hat es aufgesogen, ihm sogar die Kirche genommen; aber diese bleibt doch umgeben von einem Rahmen frischen Grüns, der ihr den klösterlichen Charakter bewahrt. Das sieht man von allen Seiten, sogar von der kleinen Insel im Fluss aus, von wo der Spaziergänger die Basilika erblickt, umgeben von den verhältnismässig viel jüngeren Bauten des Priorats.

Diesen Spazierweg entlang kommend, wo die Autos stationieren und wo hie und da Kugelspieler sich ereifern, könnte man sich in die Achse des östlichen Einganges stellen, gegenüber den zwei Türmen. Man wird hier bemerken, dass der Giebel des Schiffes nach rechts versetzt ist auf Grund der Verschiedenheit — ebenso auffallend beim Eingang in die Kirche selbst — zwischen der Achse der Vorhalle und der des Schiffes.

Ebenso fällt der Unterschied der Fassaden der beiden Türme in Aussehen, Stil und Geist in die Augen. Der Südturm, rechts, stammt aus dem 11. Jahrhundert; der nördliche, links, wurde im 12. Jahrhundert erbaut. Einige nennen diesen Turm »Moine-gare« (Mönch gib acht !), auf Grund eines Unfalles (Herunterstürzen eines Balkens), der einem jungen Mönch das Leben gekostet hätte, wäre der Heilige Hugo nicht dazwischen gekommen (Das Ereignis ist historisch). Andere wiederum glauben — mit Recht, so scheint es, — dass der Balken vom Mittelturm heruntergefallen sei. Da andere genaue Angaben fehlen, dient dieser Bericht den Archäologen als Unterlage um die Erbauungszeit zu bestimmen. Diese kostbare Episode erscheint uns wie ein Zeugnis der Tugend und Heiligkeit des Vater Abtes, wie auch der Hochschätzung, der

251

er sich bei seinen Zeitgenossen erfreute. Nicht umsonst hat man ihn den »geliebtesten Vater« genannt (amantissimus Pater).

Dem Haupteingang sich nähernd, betrachte man die Nordseite, deren Reinheit und dreifache Anordnung man bewundern wird. Ohne vielleicht dieser Tatsache soviel Bedeutung beizulegen, wie dies Abbé Cucherat und Huysmans getan, so kann man doch zugeben, dass für das Gebäude, wie es scheint ein längeres Schiff vorgesehen war, das aber dann infolge des Todes des Heiligen Hugo unvollendet blieb. Das Fertiggestellte wurde dann mit dem ursprünglichen Bau verbunden, von dem die Vorhalle das Zeugenglied darstellen soll. Der untere Teil der Vorhalle wurde im letzten Jahrhundert als Ergänzungsarbeit von Millet wiederhergestellt. Sie weist nichts Bemerkenswertes auf. Das erste Stockwerk, das man für gewöhnlich nicht besucht, böte mehr Interesse wegen seiner kreuzförmigen Pfeiler, seinen abgeschrägten Abaken und seinen Tonnengewölben. Man hätte von dort aus einen sehr interessanten Blick über das Schiff. Der Pforte selbst, die den Zutritt zum Schiff beinahe gegen den ersten nördlichen Pfeiler öffnet, schenken wir unsere Aufmerksamkeit wegen ihrer Verzierung. Leider ist sie zum Teil verdeckt, wie jene des südlichen Querschiffes.

Der Besucher der Basilika kann so vorgehen, wie ihm gut scheint, auf der einen oder auf der anderen Seite und wenn er Zeit hat, könnte er zweimal den Rundgang machen, um dem Gebäude in beiden Richtungen zu folgen. Ein cluniazensischer Bau mit Chorumgang ist wie geschaffen für Prozessionen. Man sollte jedesmal auf der Höhe des zweiten Pfeilers anhalten, um die Kapitelle zu betrachten, die einzigen gehauenen Gegenstände plastischer Kunst; aber hauptsächlich auch um die Perspektive des Schiffes, des Chores, des Chorumganges und des Querschiffes mit ihren Bögen und Pfeilern zu bewundern. Diese steigen in mehreren Absätzen bis zur Vollendung in dem von den Quergurten gestützten Gewölbe. Man lasse den tiefen Eindruck auf sich einwirken den dieses grosse und starke Ganze hervorruft. Es ist gut, nicht allzu schnell vorzugehen, und sich nicht neugierig auf diese oder jene Einzelheiz zu stürzen, wie es zum Beispiel das interessante, granitne Becken am Eingang zum Querschiff darstellt, oder die Totenkapelle der Damas-Digoine, oder gar am Eingang zum Chorumgang dieser so unglücklich neutralisierte, romanische Altar. All dies ist zweitrangig. Das Wesentliche liegt wirklich in dieser unvergleichlichen Vierung, im Chor, in den Mauern. Mauern, Pfeiler und Bögen sind nüchtern aber geschickt geschmückt weniger durch den Meissel des Steinhauers, als vielmehr durch die Anlage, die der Baumeister ihnen gab. Das Ganze, von einem kräftigen Schwung und einer vollkommenen Einheit, ist in ausgezeichnetem Zustand auf uns gekommen. Man könnte in das Chor kommen, der höchste Ort, auf den alles hingeordnet und vorbereitet ist, geschützt gegen das zu grelle Licht und allzu störenden Lärm. Der Ort des Gebetes und Gesanges, das Allerheiligste des Opfers, um das sich die liturgische Handlung abwickelt. Wenn wir daran erinnern, welch vorherrschender Platz das liturgische Gebet im Orden von Cluny einnahm, dann muss — wenn wir nicht Barbaren sind — uns an diesem Orte auch in den Sinn kommen, dass die Mönche dieses Gotteshaus erbauten, um zu beten und Gott zu loben.

Der Chorumgang führt wie eine enge Pforte um den Altarraum herum, gemäss der cluniazensischen Anordnung, die gleichzeitig Festigkeit, Eleganz und Bequemlichkeit für das Herumgehen aufweist. Er ist von acht Säulen umstellt, die sehr dünn erscheinen und durch ihren Wagemut in Erstaunen setzen. Sie erschienen wahrscheinlich unseren Vorfahren weniger fremd, da sie noch mehr das Andenken der antiken Kolonnaden der Basiliken und Tempel in sich trugen. Aber ihre Anordnung im Hintergrund des Gebäudes ist ausserordentlich glücklich. Das technische Kunstwerk des Erbauers, der bedeutende Massen auf ihnen ruhen lässt, scheint uns also weniger bemerkenswert als seine tiefe Absicht und seine religiöse Auffassung.

Diese Vertikalen lockern den Raum der Apsis auf. Sie heben den Blick über die Fenster hinweg, wo Christus in der Glorie thront.

Man wird begreifen, dass Harmonie wirklich der Ausdruck ist, der auf dieses geniale Bauwerk zutrifft. Alles ist gesammelt im Hinblick auf einen Zusammenklang; ein Ganzes aus verschiedenen Mitteln, die dem gleichen Gesange dienen. Es ist hier der Gesang des Benediktiners von Cluny, Gesang von einer raffinierten Einfachheit und einem männlichem Glanz.

Das Werk ist für seine Epoche stark fortgeschritten : Anfang des 12. Jahrhunderts nach Schätzung der Spezialisten. Für uns stellt sie den cluniazensischen Typ dar, nach dem wir uns die Kirche der heiligen Petrus und Paulus zu Cluny vorstellen können. Diese Kirche, die grösste und prächtigste der Welt, wurde im letzten Jahrhundert auf sinnlose Weise zerstört. Der Plan und die Anordnung sind ähnlich, selbstverständlich mit den Reduktionen, die sich aufzwingen. Es ist die gleiche Auffassung. Der gleiche Gebrauch gewisser Einzelheiten, die in der Folge klassisch geworden sind, nach ihrem Versuch in diesem 11. Jahrhundert das das Aufblühen der Architektur in unseren Landen brachte. Es ist der gleiche Wagemut, die gleiche Meisterhaftigkeit. Die Spezialisten haben dies gut genug zum Ausdruck gebracht.

Die Archäologie hat vielleicht noch nicht ihr letztes Wort gesprochen. Aber die Kirche der cluniazensischen Mönche ist eine lebende Kirche. Mit ihrem Zeugnis einer Urahne, die immer jung bleibt, woran das Andenken des Heiligen Hugo — Hugo des Grossen — haftet, wo die Grösse Clunys uns wieder zum Bewusstsein kommt, strahlt die Basilika des allerheiligsten Herzens an seine Pfarrkinder, seine Pilger und seine Besucher die Kunde aus vom Glanz und Ruhm Christi und diejenige vom Feuer der Liebe Jesu zu uns. Indem er uns Sünder zum Gebet und zur Busse einlädt, will der Sohn Gottes, der für uns gelitten hat, uns zu einer Wandlung führen : zu jener Wandlung die

Heilige schafft durch die Gnade der neuen Geburt, durch das Feuer der göttlichen Liebe, damit wir eines Tages seiner Glorie beigesellt werden.

Abbé Gaudillière.

NOTA

Mit Ausnahme der Kapelle im südlichen Kreuzarm ist die Basilika des allerheiligsten Herzen Jesu zu Paray *vollständig romanisch*. Dem nicht vorbereiteten Besucher droht eine Ueberraschung.

Die Leichte und Höhe des Spitzbogengewölbes auf Gurten und die Seitenschiffe mit Gratgewölben dürfen nicht täuschen : der Spitzbogen wurde in burgundischen Landen seit dem 11. Jahrhundert angewendet und der Ursprung der Gewölbe aus Füllsteinen ist sehr alt. Man darf den romanischen Stil von Cluny und Burgund nicht verwechseln mit dem frühgotischen Stil. Der Unterschied liegt weniger im allgemeinen Aussehen als in der Technik und im Geist. Man könnte den Chorumgang von Paray mit demjenigen von Notre-Dame von Paris vergleichen und man wird feststellen, dass die Schwere nicht auf Seiten der romanischen Kunst liegt. Ebenso haben die kannelierten Pilaster, die antike Stücke nachahmen — die in Autun und anderen Orten noch am Platz sind — nichts zu tun mit den Pilastern, die zur Zeit der Renaissance errichtet wurden. Das ist eigentlich selbstverständlich. Aber wissen muss man es. Die Technik der Konstruktion konnte Fortschritte machen in den Zeiten, die der Epoche des Heiligen Hugo folgten; ein gleich gelungenes Werk hat sie nicht hervorgebracht, denn leider war der technische Fortschritt begleitet von einem geistigen Niedergang. Die sakrale Kunst wurde zur religiösen und menschlichen Kunst. Die Kunstfertigkeit und der Naturalismus haben den Gesichtspunkt verändert.

Tafel der Abbildungen

Saulieu, Martyrerkirche

Die Basilika Sankt Andochius

kannte im Lauf der Zeit manch widriges Schicksal. Eine erste Kirche, erbaut um 306, um die Reliquien der Heiligen Andochius, Thyrsus und Felix aufzunehmen, wurde 747 von den Sarrazenen

zerstört. Karl der Grosse lässt sie auf seine Kosten wieder herstellen und übergibt sie den Benediktinern. Aber neue Invasionen schädigen das Bauwerk, und Ende des 11. Jahrhunderts unternimmt Etienne de Bagé, Bischof von Autun, den Wiederaufbau der Basilika. Im Jahre 1119 konsekriert Papst Callixt II. die vollendete Abteikirche.

Es bleibt uns von ihr leider nur noch das Schiff

mit seinen bewundernswerten Kapitellen. Der Boden des Schiffes wurde zudem später erhöht. Denn der Hundertjährige Krieg hat für immer das Querschiff, den Altarraum, den Chorumgang und die kleinen Apsiden zerstört. Sie wurden im Jahre 1704 wieder aufgebaut. Leider sehr schlecht.

Das ist das Martyrium der Basilika Sankt Andochius zu Saulieu.

Besichtigung der Basilika

Weniger bevorzugt als die Madeleine von Vézelay, ihre Zeitgenossin, deren eindrucksvolle Masse sich von der Höhe des Hügels abhebt, scheint die Basilika Sankt Andochius abseits von der Nationalen Strasse No 6 zu schmollen. Ihr schöner romanischer Turm, schwer bemützt mit einer doppelten Bleikuppel des 18. Jahrhunderts, ihre zu hohe Apsis, deren Dach dasjenige des Schiffes überragt, gereichen der Gesamtheit des Baues nicht zum Vorteil. Und doch täte man Unrecht, es bei diesem ersten Eindruck bewenden zu lassen.

In einem Zug, ohne irgendwelche Unterbrechung der Arbeit erbaut, stellt unsere Basilika den formvollendetsten und in den Einzelheiten vollkommensten cluniazensischen Typ dar.

Das Mittelschiff besitzt ein Spitzbogengewölbe, dessen Scheitelhöhe 17,80 m beträgt, während die Seitenschiffe Gratgewölbe aufweisen in der Höhe von 9,40 m. Die Länge des Bauwerkes ergibt 24,50 m und die Breite 15 m. Vor dem Brand von 1359 war das Gebäude um 20 m länger und erstreckte sich bis zum gegenwärtigen gedeckten Marktplatz.

Die Pforte, zur Revolutionszeit fast vollständig verstümmelt, wurde 1869 restauriert. Diese Restauration wurde nicht ganz zu Ende geführt, doch liegt kein Grund vor, dies zu beklagen.

Das Innere wird die Mühe des Besuchers belohnen. Er findet dort Kapitelle, die nach unserer Ansicht die schönsten von ganz Burgund sind.

Wenn man *im südlichen Seitenschiff* beginnt, so findet man am ersten Pfeiler, rechts, den unkeuschen Kuss zweier Meerweiber. Dann am zweiten Pfeiler : drei Szenen der Auferstehung Christi. Links : Der Aufbruch der heiligen Frauen zum Grabe. Rechts : Die heiligen Frauen am Grabe von einem Engel angeredet. In der Mitte : Die weinende Maria Magdalena erkennt Jesus, der verschwindet, indem er ihr sagt : Rühr mich nicht an. Betrachtet lange das Antlitz Christi; es ist eindrucksvoll, es ist nicht von dieser Erde, es ist göttlich. Die Bildhauer von Saulieu haben es vergöttlicht, wie die von Autun und von Vézelay. Nie sehen Sie es so schön, wie in diesem 12. Jahrhundert. Die Bildhauer des 13. Jahrhunderts haben es vermenschlicht; sie haben daraus gemäss der Schrift »den schönsten der Menschenkinder« gemacht. Aber er beeindruckt uns nicht mehr so stark wie der cluniazensische Christus, ein Meisterwerk im wahren Sinn des Wortes, dem nie etwas zur Seite gestellt werden kann.

Am dritten Pfeiler : Die Erhängung des Judas ein Werk von ausserordentlicher Gewalttätigkeit. Am gleichen Pfeiler, auf der entgegengesetzten Seite dieses Kapitells, sieht man groteske Akanthusblätter, Erzeugnis der Einbildungskraft des Steinhauers, von ungewöhnlicher Virtuosität und einem barocken Charakter, der an diesem Anfang des 12. Jahrhunderts etwas seltsam anmutet.

Am vierten Pfeiler : Die Flucht nach Aegypten — so köstlich — mit ihrer Eselin auf Rädchen und der so mütterlichen Geste der allerseligsten Jungfrau, die das Kind an sich drückt. Beachten Sie auch den Heiligen Joseph, der einen Turban trägt... Am gleichen Pfeiler : Ein Hahnenkampf, von einem bewundernswerten Schwung. Die beiden Besitzer der Hähne zeigen ihre Gefühle vor dem Resultat des Kampfes : derjenige rechts ruft den Sieg seines Hahnes aus, während der andere, sich besiegt sehend, vor Verzweiflung der sich die Haare rauft.

Am fünften Pfeiler : Eine seltsame Hirtenszene. Ein kleiner, byzantinischer Hirte spielt auf dem Olifant. Dabei sitzt er auf den Rücken eines Tieres, auf dessen Kopf — Fratzengesicht der römischen Stele — zwei Ziegen sich bekämpfen — persisch-sassanidischer Einfluss — zur Seite ein kleines Schwein, Tier das unserem Morvan teuer ist. Zwei Palmen entspringen dem Rachen des Ungeheuers, umranken die Szene und gelangen schliesslich zu einem Höhlenbären. Hinter dem gleichen Pfeiler : Minerva — Athene, symbolisiert durch eine Eule.

Gehen wir nun zum *nördlichen Seitenschiff* über.

Am fünften Pfeiler (gerade demjenigen gegenüber, den wir soeben gesehen haben) : Die römische Wölfin, bissig und hager, wie man es sich nur wünschen kann, den Schwanz zwischen den Beinen. Gegenüber diesem Pfeiler, an der Mauer : der Pfeilschütze, eins der Zeichen des Tierkreises.

Am vierten Pfeiler : Zwei gegeneinander gewendete Wildschweine. Zwei Personen halten sie am Schwanz zurück. Diejenige rechts trägt Hosen und den gallischen Mantel und ist mit einem Schlägel bewaffnet. Diejenige links trägt den römischen Umwurf (peplum) und ist bewaffnet mit einem Stein. Kann man hier vielleicht einen Gallier und einen Römer sehen ? Eine Seite aus der Geschichte von Saulieu ? Die beiden Etymologien : der solislocus der Gallier und das sede-locum der Römer ? Ueberlassen wir es gelehrteren Leuten, dieses Rätsel zu lösen...

Am dritten Pfeiler : Die erste Versuchung Christi in der Wüste. Satan hält Christus einen grossen, runden Stein hin : »Wenn du der Sohn Gottes bist, sag zu diesem Stein, dass er zu Brot werde«. Ein Engel mit entfalteten Flügeln hinter Christus stehend macht die Andeutung auf den Schlusstext : »und siehe, Engel kamen und dienten ihm«. Am gleichen Pfeiler : Die Tauben und der Vogelfänger.

Am zweiten Pfeiler : Der falsche Prophet Balaam. Ohne jeden Zweifel das schönste unserer Kapitelle. Balaam reitet auf seiner Eselin, die die Gabe der Sprache hatte. Es ist vorauszusetzen, dass sie Eseleien erzählte, die ebenso gross waren wie sie selber und dass ihr Herr und Meister zum Trotz versuchte, sie zu überbieten, indem er noch grössere zum Besten gab. Der Herr, erzürnt über diese Komödie, schickte einen Engel mit blossem Schwert, um dem Unsinn ein Ende zu machen. So ist die Szene hier dargestellt. Der Engel mit gezogenem Schwert ist auf die Mauern der Satdt gestiegen, deren Zutritt er verbieten soll. Die Eselin, geblendet durch den Anblick des Engels, wendet den Kopf ab und sinkt in die Knie. Balaam, der nichts gesehen hat, schlägt sie heftig mit einem Stock. Jetzt sagt das arme, eingeschüchterte Tier zu seinem entsetzten Reiter : » Warumhast du mich geschlagen ? Der Engel des Herrn versperrt uns auf Befehl den Weg«. Zugegeben, diese Auslegung stimmt nicht ganz überein mit dem Text der heiligen Schrift (Numeri XXII, 22-36), aber scheint sie sich nicht so dem Geiste aufzudrängen durch die Art und Weise wie der Künstler sein Thema behandelt hat. Er hat Balaam eine Mönchskapuze aufgesetzt, ihm eine Kutte angezogen, den Stab in die Hand gegeben, wäre es nicht am Ende — o heiliger Schrecken — die Karikatur eines hochwürdigsten Vater Abtes ? Um ihn noch grotesker zu machen, hat man ihm ein Paar Sporen beigegeben, dazu trägt er Reitstiefel wie ein Ritter, der auf reich aufgezäumtem Zelter zum Kreuzzug aufbricht.

Dies sind die bemerkenswertesten der Kapitelle von Sankt Andochius. Man kann daraus ersehen, wie weit ihr Ruf noch von dem entfernt ist, worauf sie Anspruch erheben könnten. Aber alle jene, die sie einmal gesehen, können sie nicht mehr vergessen.

In der Basilika wäre noch zu erwähnen das Grab des heiligen Andochius, das sich unter dem Hochaltar befindet und zum Teil restauriert ist. Dieser Sarkophag aus Carraramarmor ist 1,80 m lang, 0,80 m hoch und 0,60 m breit. Er ist in Form eines Troges ausgehauen, an den Extremitäten abgerundet und geschlossen durch einen stark gewölbten Deckel. Die bemerkenswerteste Inschrift darauf ist das Monogramm Christi : XP, in einem doppelten Kreis mit Alpha und Omega. Dieses Monogramm befindet sich auf dem Deckel, zusammen mit geometrischen Figuren. Man sieht dort ebenfalls ein Band von Weinlaub und Trauben, eine Axt, einen Hirsch und ein griechisches Kreuz, die vier Teile nach aussen erweitert. Endlich ist noch ein Runenzeichen zu erwähnen, das unserem Buchstaben N ähnlich sieht. Dasz lässt darauf schliessen, dass dieser Sarkophag ursprünglich einem heidnischen Begräbnis gedient hat.

Im Chor könnte man das Chorgestühl aus dem 14. Jahrhundert betrachten. Leider ist es arg verstümmelt. Doch bleibt davon noch eine Füllung, die Flucht nach Aegypten darstellend, von einem ganz burgundischen Reiz.

Der Kirchenschatz wird vor allem gebildet durch das »Missale Karls des Grossen«, das in der Sakristei aufbewahrt wird. In Wirklichkeit sind es zwei verschiedene Stücke : der Einband und das Manuskript. Der Einband besteht aus zwei Elfenbeinplatten des 6. Jahrhunderts eingefalzt auf zwei Buchenholzplatten mit gehämmertem Silberblech aus dem 12. Jahrhundert. Im Innern : ein Manuskript auf Pergament des 11. Jahrhunderts, das das

ursprüngliche Manuskript ersetzt hat. Letzteres war in der Invasionszeit verloren gegangen. Der Text enthält — in Spätlatein, ohne Illuminationen — alle Sonntagsevangelien des liturgischen Jahres. Aus dem Missale ist also ein Evangeliar geworden. Die Elfenbeintafeln stellen auf der einen Tafel Christus in der Glorie dar mit Sankt Petrus und Sankt Paulus und, auf der andern Tafel die allerheiligste Jungfrau mit dem Jesuskind auf den Knien umgeben von anbetenden Engeln; deutlich byzantinischer Einfluss.

Zum Schluss darf nicht unterlassen werden, die kleine Pforte im südlichen Querschiff zu erwähnen, die sich früher auf den Kreuzgang öffnete. Sie bildet ein vollständiges Gewölbe und hat als Dekoration zuerst ein Band von Diamantpunkten, dann ein Rollenband. Das Bogenfeld ist mit einem Kleeblatt geschmückt. Das Ganze macht einen sehr mönchischen Eindruck, streng und nüchtern, von einem vollkommenen Geschmack.

Das sind also, kurz beschrieben, die wichtigsten Stücke in deren Besitz die Basilika von Saulieu heute noch ist, trotz ihres furchtbaren und unerbittlichen Martyriums.

Von all dem sind ohne Zweifel die Kapitelle das, was am meisten hervorsticht. Werk einer Meisterhand, Frucht einer überbordenden Einbildungskraft und dabei voller Humor, sind sie wahre Kleinode. Man findet in ihnen eine staunenswerte Seelenreinheit, verbunden mit einer blendenden Kunstfertigkeit.

Man kann sich also nicht wundern, wenn man sieht, welchen Einfluss sie auf die benachbarten Heiligtümer ausgeübt haben. Zu Autun wird man sie wiederfinden, aber in umgekehrter Reihenfolge, die Flucht nach Aegypten, den Hahnenkampf, die Erhängung des Judas, Christus erscheint Maria Magdalena, die Versuchung in der Wüste und sogar Balaam, den man ebenfalls in der reizenden, kleinen Kirche von Rochepot, zwischen Saulieu und Châlon-sur-Saône, findet. All dies zeigt uns, dass die Kapitelle von Saulieu weit davon entfernt waren, unbeachtet zu bleiben. Im Gegenteil, sie machten Schule.

Man sieht, trotz seines Martyriums bleibt in Sankt Andochius zu Saulieu noch etwas, das geeignet ist, uns tief zu belehren.

Tafel der Abbildungen

Inventar von Autun

Die Kathedrale Sankt Lazarus

eins der schönsten Baudenkmäler des romanischen Burgund, wird sehr geistreich von Abbé Denis Grivot beschrieben im Buch » Le monde d'Autun « unserer Reihe » Les points cardinaux «. Papst Callixtus II. und Stephan von Bagé, Bischof von Autun, leiteten den Bau ein, der ungefähr von 1120 bis 1140 sich hinzog. Im 15. Jahrhundert zerstört der Blitz Glockenturm und Gewölbe des Chores. Der Kardinal Rolin, Bischof von Autun, nutzt diesen Umstand aus, um einen sehr hohen Turm zu errichten das und Chor auszubessern. Er stellt an vielen Orten Statuen auf. Im 18. Jahrhundert wird man diese Anhäufung von überflüssigen Stücken beseitigen. Aber diese Bewegung geht wieder zu weit : Man zerstört das Grab des Heiligen Lazarus, man belegt das Chor mit Marmor, man vergipst das Tympanon, man beginnt ein Werk der Zerstörung, das die Revolution fortsetzt... und (zum Teil) die Restauration des 19. Jahrhunderts.

Abbé Grivot hat den Kopf des Christus im Tympanon wieder an seinen Platz eingesetzt und

damit die wiedergefundene Jugend des wunderbaren Bildhauerwerkes von Autun fühlbar gemacht.

Besichtigung der Kathedrale

Von aussen gesehen, scheint die Kathedrale von Autun nicht romanisch. Dies wegen der zahlreichen Anhängsel, die im Laufe der späteren Jahrhunderte dem groszen Erstlingswerk beigefügt wurden.

Der wichtigste und eindruckvollste Teil ist der spitze Turm aus dem Ende des 15. Jahrhunderts, dessen Spitze sich 80 m über den Boden erhebt und der im Innern gar kein Gebälk aufweist. Man kann sich vorstellen, was für eine eindrucksvolle Perspektive sich demjenigen eröffnet, der den Mut hat im Inneren des Turmes hinaufzusteigen.

Die beiden Fassadentürme sind das Werk der Restauratoren des 19. Jahrhunderts, die die Türme von Paray-le-Monial kopiert haben.

Aber das schönste Stück des Aeussern bleibt selbstverständlich das Tympanon der Fassade — ein Werk der Romanik und eins der schönsten Frankreichs. Dieses Tympanon wurde gehauen zwischen 1130 und 1135 von Gilbert oder Gislebert, »Gislebertus hoc fecit«. Es gibt das Thema des letzten Gerichtes wieder. Im Mittelpunkt ein überragend grosser Christus, umgeben von seiner Gloriole, die von vier Engeln getragen wird. Zur Rechten Christi (von uns aus also links) sitzt unsere Liebe Frau. Zur Linken (von uns aus rechts) sitzen zwei Personen: St. Johannes und vielleicht St. Jakobus.

»Wenden wir uns wieder nach links, sagt Abbé Grivot in seinem Führer durch die Kathedrale, wir sehen neun Apostel ganz erstaunt über das, was ihnen geschieht, sich den Kopf haltend und scheinbar hypnotisiert durch die Grösse der Szene, der sie beiwohnen. Einzig St. Petrus hat den Rücken gekehrt und beschäftigt sich, die Schlüssel auf den Schultern, Tonsur auf dem Kopf, mit der Bewachung des Himmels, der durch drei Stockwerke von Arkaden dargestellt ist. Der Himmel ist bereits besetzt von einigen Seligen, während eine Person, gestossen von einem Engel »durch die enge Pforte« den Himmel erstürmt.

Zur Seite der linken Hand Christi befindet sich der zwölfte Apostel, St. Matthæus, sorgsam das Evangelium auf seiner Brust haltend.

Wir kommen nun zum aktiven Moment des Gerichtes, mit der Seelenwaage: die Zeremonie wird präsidiert von St. Michael, stark hervorgehoben durch seine langen Flügel und den grossen, weiten Kleid. Er drückt auf eine der Waagschalen, während ein Teufel ihm gegenüber den Waagbalken hebt. Längs der Ketten wird die Seele, die ein gnädiges Gericht gefunden hat, von der Erde gehoben und scheint von Christus angesogen.

Zu äusserst im Bogenfeld befindet sich der Schlupfwinkel der Teufel, mit Ungeheuern, Ketten, Geschirr und Hacken und allem, was sonst noch Brauch ist.

Auf dem Türsturz wohnt man der Auferstehung bei: Die Menschen erwachen und kommen aus ihren Särgen heraus, die man schön in Reih und Glied längs des Fenstersturzes aufgestellt sieht. Links: die Auferstehung der Auserwählten. Man bemerkt zwei Bischöfe mit ihren Bischofsstäben, Mönche, eine Familie und — fast in der Mitte — zwei Pilger, bekleidet nur mit ihrer Betteltasche, auf der man die Muschel des hl. Jakobus und ein Kreuz bemerkt; beide tragen ihren Stab auf der Achsel und der erste, um recht augenfällig anzudeuten, dasz er zu Fuss kommt, tritt auf eine Pflanze, dem einzigen Grün im ganzen Bogenfeld.

In der Mitte des Fenstersturzes, direkt unter den Füssen Christi befindet sich der Engel der Scheidung, das Schwert in der Hand. Er setzt einen Verdammten mit entsetzter Miene vor die Türe. Die Stellung der Verworfenen auf der rechten Seite, hat keinen Kommentar nötig. Sie sind wenig unterschieden, aber allein schon die Stellung ihrer zusammengekrümmten Körper genügt, um kräftig ihren Schrecken auszudrücken. Sie stellen keine charakteristischen Laster dar, ausser dreien: Der zweite rechts, der Betrunkene mit überragender Nase, verzweifelnd auf sein leeres Fass schlagend; die Unzucht, Frau deren Brüste von Schlangen zerfleischt werden; der Geizige, mit dem Sack am Hals, zur Seiten des von den Klauen des Teufels gepackten Verworfenen...

Rings um das Bogenfeld ein wunderbarer Tierkreis, vermischt mit den Arbeiten der betreffenden Monate.

Wenn man in *das Innere der Kathedrale* tritt, denkt man an eine Verschiedenheit der Baustile. Das ist richtig. Der obere Teil des Chores und die Seitenkapellen stammen aus dem 15. Jahrhundert, aber das Schiff und die Seitenschiffe, ebenso der untere Teil des Chores sind romanisch. Die Rillen der Pfeiler stammen aus dieser Zeit und nicht etwa aus dem 18. Jahrhundert, wie man vermuten könnte. Sie waren ohne Zweifel von den römischen Werken beeinflusst, die in Autun existierten und von denen man noch Spuren findet an der Porte d'Arroux, am Ausgang der Stadt in Richtung Saulieu.

Im Gebäude die Runde machend, wird man die ganze Folge der prächtigen, romanischen Kapitelle sehen, Erwähnen wir vor allem:

Südliches Seitenschiff. Am ersten Pfeiler: Der Körper des hl. Vinzenz von Adlern beschützt. Am zweiten und dritten: Das Schweben und besonders der Sturz des Simon Magus (ein Meisterwerk). Am vierten Pfeiler: Die Fusswaschung (ein eigenartiges Werk, sehr barock in seiner Auffassung); gegenüber: der vierte Ton der Musik. Fünfter Pfeiler: Die Steinigung des hl. Stephanus, und ihm gegenüber: Samson, den Löwen niederschlagend. Am sechsten Pfeiler: Die Arche Noahs; gegenüber: Samson, der den Festsaal zum Einsturz bringt (ein Werk, ausserordentlich durch seine Kraft und seine Gemütlichkeit). Die Kapitelle des Chores sind zum grossen Teil Kopien, deren Originale im Kapitelsaal zu sehen sind. Doch ist am äussersten Ende des südlichen Seitenschiffes, auf dem linken Pfeiler der Kapelle Saint Léger (Sankt Leodegar), die erste Versuchung Christi zu erwähnen.

Hinter dem Altar durchgehend, findet man *im nördlichen Seitenschiff,* der Versuchung Christi gegenüber, die Heilung des Blindgeborenen und die Geschichte des Zachäus, bei der Zachäus (und seine Frau am Fenster) besonders belustigend wirken. Gegenüber: Die Unzucht. Dann folgen Kopien von Kapitellen, bis dort, wo das Seitenschiff mit dem Mittelschiff parallel geht. Beim ersten Pfeiler angekommen (dem fünften von der Eingangspforte aus) findet man die Erscheinung Christi an Magdalena, ein berühmtes Kapitell, oft und oft reproduziert, von äusserster Gediegenheit. Gegenüber (vierter Pfeiler): Daniel in der Löwengrube. Die Komposition dieses Kapitells ist ganz besonders glücklich. Auf der entgegengesetzten Seite: Die Versuchung Christi. Gegenüber dem dritten Pfeiler, auf der andern Seite des Seitenschiffes: ein Hahnenkampf. Am zweiten Pfeiler die bemerkenswerten drei jungen Hebräer im Feuerofen. Es ist eins der besten Werke der Kathedrale. Gegenüber dem ersten Pfeiler, auf der andern Seite des Seitenschiffes Die Geburt Christi.

Man wird immer Vorteil daraus ziehen, wenn man den Kapitelsaal aufsucht, der sich (genau am entgegengesetzten Ende) zu äusserst am südlichen Seitenschiff befindet. Dort kann man von nahe und unter guter Beleuchtung einige Originalkapitelle sehen, die anlässlich der Restauration hierher verbracht worden sind. Es gibt einige auserlesene Stücke darunter : Die Flucht nach Aegypten, allgemein berühmt, eines der schönsten Werke der Bildhauerei, das man nicht so leicht vergisst. Die Anbetung der Weisen, Darbringung einer Kirche, das berühmte Erwachen der Magier, die Tugenden und die Laster, der überraschende Tod Kains und der Kampf der Zwerge gegen die Sträusse. Die Zeit, die man in diesem Saale zubringt, ist sicher nicht verloren. Man macht dort Bekanntschaft mit einigen Wunderwerken der romanischen Kunst des Burgunderlandes.

Nach dem Besuch der Kathedrale sollte man unbedingt die Rue des Bancs hinabgehen, wo man nach etwa 150m auf der rechten Seite das Museum Rolin findet. Dieses birgt unter anderem vier Stücke von ganz besonderem Interesse.

Zuerst und vor allem die Eva, die berühmte Eva, den Ausmassen nach das grösste romanische Stück, das sich noch in unserem Besitze befindet. Diese lange, liegende Figur, von äusserster Kraft, misst nicht weniger als 1,25 m... Sie befand sich früher gegenüber einem Adam (dieser liegt leider noch in irgend einer Mauer eines Privathauses begraben), aussen über der Pforte des nördlichen Querschiffes. Dieser grosse Türsturz muss eines der schönsten Schmuckstücke der Kathedrale gewesen sein. Aus dem zu schliessen, was uns davon bleibt : dieser Eva, kann man sich eine Idee bilden von der Bedeutung des Werkes.

Zur Seite eine Aufnahme in den Himmel, ebenfalls aus der Kathedrale stammend, obwohl verstümmelt, ein bewundernswertes Stück.

Im Museum Rolin findet man auch die berühmte Geburt Christi des Maître de Moulins : eines der Meisterwerke des Jean Perréal, gemalt um 1480. Im Album AUTUN unserer Sammlung » Les points cardinaux « haben wir den Kopf der allerseligsten Jungfrau in Farben (im natürlichen Masstab) wiedergegeben. Dieses Werk von kleinen Ausmassen, ist eins der schönsten der französischen Malerei : eine Folge wertvoller Stücke, wie durch Zufall hier zusammengetragen. Zur Seite die Jungfrau von Autun aus dem 15. Jahrhundert mit ihrem in Windeln gewickelten Kind ; ein schönes Musterbeispiel der burgundischen Skulptur dieser Epoche.

In Autun berühren wir mit dem Finger die christliche Spiritualität des Mittelalters in seiner ganzen Pracht. Die Demut Autuns ist typisch, seine reine und kindliche Anmut ebenfalls. Es gibt hier Charaktereigenschaften, die dem Christentum eigen sind, und zwar in dem Masse, dass keine andere Kunst, kein anderes Volk und keine andere Zivilisation und Religion, gleichwertige geben konnte noch geben wird.

Nicht, dass sich nicht prächtigere Werke finden lassen, aber im Geist, von dem Autun beseelt ist, hat ohne Zweifel kein anderes Kunstwerk je diese Leichtigkeit, diese wunderbare und einzige Einfachheit erreicht, in der sich, über jedem Zweifel erhaben, der kunstbegabte Bildhauer von Autun bewegt.

Tafel der Abbildungen

Die Abteikirche zu Vézelay

ist ohne Zweifel eins der berühmtesten romanischen
Heiligtümer Frankreichs und der Welt. Die Lage der
Kirche auf der Kuppe des Hügels, die wunderbare
Färbung ihrer Steine, ihre Grösse, die Menge ihrer
Kapitelle und, mehr noch, ihr unübertroffenes
Tympanon im Narthex, all das erklärt den Erfolg
dieses Gebäudes, das im Uebrigen eines der schön-
sten von Frankreich ist.

Es erinnert uns an die Benediktinerabtei, gegründet durch Girard de Roussillon. Durch die Ueber-
tragung der Reliquien der heiligen Maria-Magdalena
(gegen 880) wurde sie schnell berühmt. Pilgerzüge
strömen dort zusammen und bald wurde ein Neubau
der Kirche in grösseren Ausmassen notwendig. Es
ist die jetzige Kirche (1096-1104). Man fügt ihr
gegen 1130 eine Vorhalle (Narthex) an, dann gegen
1180 ein gothisches Chor. Der zweite Kreuzzug,
gepredigt durch den heiligen Bernhard; die Begegnung zwischen Philipp-August und Richard Lö-
wenherz anlässlich ihres Aufbruches zum dritten
Kreuzzug sind die Ruhmestitel dieses Ortes. Der
Rest seiner Geschichte ist weniger glücklich:
Kämpfe und Hader, die vom Abenteuer bis zur
Ermordung des Abtes gehen... Verwüstung und
Blutbad durch die Protestanten, dann die Revolution. Das Gebäude ist dem völligen Zerfall nahe,
als Viollet-le-Duc es restauriert (1840-1860). Vézelay, aus seiner Zerstörung gerettet, gewinnt wieder
Leben und Atem.

Besichtigung der Basilika

Die Kirche von Vézelay löst hauptsächlich aus
der Ferne gesehen Begeisterung aus. Auf einem
Hügel erbaut, breitet sie ihre weite Anlage im
Schutze ihrer Türme aus. Von nahe gesehen, muss
man zugeben, dass die Fassade enttäuscht; Frucht
indiskreter Restauration. Und die Längsmauern des
Schiffes mit ihren Strebebögen — übrigens absolut
notwendig — haben von ihrer Nüchternheit und
ihrer Kraft verloren. Aber der alte Turm Antonia

über dem Querschiff, genügt um uns zu trösten.
Er ist ohne Zweifel einer der schönsten romanischen
Türme, die wir noch besitzen und man wird nicht
müde, ihn zu betrachten.

Tritt man ins *Innere der Kirche,* so ist man sogleich
ergriffen von der Harmonie der Räume, dies ich
dem Blick darbieten. Die Helligkeit des Ortes, seine
Farbe und der Reichtum seines Schmuckes — trotz
allem sehr einfach — erfreuen das Auge. Zum
Beispiel das Band, das das ganze Schiff durchzieht
auf der Höhe der Gewölbeansätze und um die
Abaken der oberen Kapitelle, mit seiner breiten
Falte und einem mächtigen und fortgesetzten
Rythmus ist eine der Erfindungen, die für sich
allein genügen, um dem Dekorateur von Vézelay
den Platz einzuräumen, der ihm zukommt: das
heisst, einen der ersten.

Wir betreten das *linke Seitenschiff* und finden
auf dem Kapitell des *ersten Pfeilers* die Parabel
von Lazarus und dem reichen Prasser. Dann die
berühmte Mystische Mühle, eines der bekanntesten
Werke der romanischen Kunst. Das alte Testament
ist ein Sack mit gutem Korn, dessen Substanz,
verborgen unter der Hülle von Figuren und Sym-
bolen, erst aufnahmefähig gemacht wird, wenn
die Mystische Mühle (Christus) diese Substanz zu
Tage gefördert und das Neue Testament sie gesammelt hat. Die beiden Personen sind Moses und
Sankt Paulus.

Am nächsten Pfeiler : die Waage und die Zwillinge,
zwei Zeichen des Tierkreises. Dann, die Bekehrung
des heiligen Eustachius, ein prächtiges Kapitell,
erfüllt von Begeisterung und Leben. Ein typisches
Beispiel der Kunstfertigkeit der Bildhauer von
Vézelay.

Bei der Unzucht und der Verzweiflung, die man
am nächsten Pfeiler findet, wird man sehen, mit
welcher Kraft die Leute dieser Epoche sich ver-
ständlich machen konnten.

Durch die hintere *Türe* dieses Seitenschiffes tre-
tend, gelangt man in den *Narthex,* ohne Zweifel die
schönste Stelle der ganzen Basilika von Vézelay.

Dieser Narthex von grossen Ausmassen, enthält
drei Bogenfelder über den Türen, die zu den drei
Schiffen der Kirche führen.

Selbstverständlich ist es das *mittlere Tympanon,*
das vor allem hervorsticht; nicht nur durch seine
seltenen Ausmasse, sondern auch durch die Grösse

seines Stils und seine wunderbare Majestät.

Wenige romanische Tympanons sind so eindrucksvoll wie dieses. Deshalb ist in Wirklichkeit er es, der Vézelay seine wahre Grösse verleiht. Um die Situation Vézelays im Herzen des romanischen Burgund zu charakterisieren, haben wir denn auch nicht gezögert, nur dieses eine Stück heranzuziehen, um die notwendige Gegenwart des ganzen Gebäudes zu beweisen.

Dom Eloi Devaux umschrieb das Thema dieser gewaltigen Steinfläche folgendermassen : »Die Pforte von Vézelay stellt Pfingsten dar; aber es handelt sich keineswegs um eine Darstellung des historischen Ereignisses wie die Apostelgeschichte es erzählt. Diese Pfingsten ist vielmehr das Geheimnis des ganzen Christus, das Geheimnis des allgemeinen Heiles im Raume und in der Zeit, durch den verklärten Christus, die Quelle des lebendig machenden Heiligen Geistes. Eine Lehre der Theologie, ein Festmahl für unseren Glauben und unsere Betrachtung wird uns hier dargeboten.«

»Ein riesiger Christus, mit überaus grossen Händen, die den Kosmos schaffen und wiedererschaffen, im vollen Besitze seiner Gewalt und seiner göttlichen Ehre : Thron, Königsmantel, Mandorla und Nimbus (mit Kreuz, denn durch das Kreuz rettet er). Sein hieratisches, auf die Ewigkeit gerichtetes Antlitz ist der einzige unbewegliche Teil des Tympanons. Ein geheimnissvolles Strahlen geht von ihm aus, bewegt seine Gewänder, durchflutet seine Hände, ergiesst sich über die zwölf Apostel. Das Buch in der Hand, vermitteln sie das Evangelium und den empfangenen Geist bis an die Grenzen der Erde diesen fremden Völkern : Pygmäen, Riesen, Kynokephalen, Langohrigen, die einander drängen auf ihrem Gange hin zu Christus. Die Medaillons des Tierkreises versinnbildlichen die Dauer dieser Evangelisierung, die Menschwerdung des Göttlichen in den einfachsten Arbeiten des Menschen. Auch das Alte Testament entgeht diesem Einfluss Christi nicht : über seinen Händen das Manna und das Wasser vom Felsen (oder vielleicht Himmel und Erde). Zu seinen Füssen, auf dem mittleren Türpfosten, zeigt Johannes der Täufer mit dem Finger auf das »Lamm Gottes, das die Sünden der Welt hinwegnimmt«. So ist das ganze Geheimnis des Heiles, das ganze Credo, all das, was der Stolz des Christen ausmacht, in diesem Gleichnis aus Stein ausgesprochen. Eine herzerfreuende Geschichte für die Kinder Gottes. Welcher Optimismus, welch kindliche Aufrichtigkeit, welche Schelmerei auch hie und da, so dieser Pygmäe, der eine Leiter benützt um sein Pferd zu besteigen, die kleinen burgundischen Szenen im Tierkreis und alle Kapitelle der Madeleine, all dies ist rein, gesund, kindlich naiv : Geist der Kindheit, der die Substanz des Evangeliums ist. Theologischer Geist auch, scharfer Sinn der Rolle Christi, von seiner Gottheit«. (Zodiaque No 2, S. 4-10).

Die beiden Seiten des Tympanons sind weit davon entfernt, die Grösse des mittleren zu besitzen. Das Bogenfeld *rechts (südlich)* erzählt die Kindheit Christi mit einer reizenden Gemütlichkeit, während dasjenige *links (nördlich)* die Erscheinung Christi

an die Jünger von Emmaus berichtet und besonders zu oberst die Himmelfahrt. Christus is hier wirklich in einer unwiderstehlichen aufwärtsstrebenden Bewegung dargestellt.

Auf dem kleinen *Tympanon im Süden* steht auf dem *Kapitell des Wandpfeilers* der Verkündigungsengel der Frohbotschaft. Er ist eins der Wunderwerke von Vézelay. Alles an ihm ist Ruf; er ist eine Art Aufruf zum Kreuzzug, zum Kampf für den Triumph der Sache Christi.

Man kann wiederum durch die *nördliche Seitenpforte* die Kirche betreten, nicht ohne noch ein letztes Mal den Narthex und sein Mitteltympanon bewundert zu haben. (Um dieses letztere bei bester Beleuchtung zu sehen, ist es vorteilhaft die Türe, die sich auf den Kirchplatz öffnet, zu schliessen, sonst zerstört das direkt einfallende Licht alle Reliefs.)

Vor uns öffnet sich das *nördliche Seitenschiff*. Die Seitenschiffe von erstaunlicher Breite und schönen Proportionen sind es wert, lange betrachtet zu werden.

Das nördliche Seitenschiff zum Chor hinaufgehend findet man folgende Kapitelle : 2. *Pfeiler* : die Bestrafung des Geizigen. 3. *Pfeiler* : Judith und Holofernes, (dieses Kapitell stammt von Viollet-le-Duc). 4. *Pfeiler* : das Gelübde Jephtes. Dann : David und Goliath. 5. *Pfeiler* : der Tod Absaloms. 6. *Pfeiler* : Moses und das goldene Kalb (beachte vor allem den Dämon !). 7. *Pfeiler* : St. Antonius der Einsiedler und seine zwei Löwen, die im Begriffe sind, dem Anachoreten Paulus das Grab zu scharren. 8. *Pfeiler* : die bekannte Vision des hl. Antonius, von unvergleichlichem Witz und Schwung. Auf der entsprechenden, in der Nordmauer stehenden *Säule*, gegenüber diesem Pfeiler : St. Antonius und St. Paulus, das Brot miteinander teilend. Auf der *Säule*, die in der gleichen Mauer dem 5. *Pfeiler* (Tod Absaloms) gegenüber steht : das prächtige Festmahl des reichen Prassers. Es ist ein Stück allererster Ordnung, mit seiner Komposition, die alles um den reichen Prasser anordnet, das Ganze in sechs Doppelfenster hineingestellt, die die Hauptperson prächtig in die Mitte rücken. Am 9. *Pfeiler* endlich : Adam und Eva, das älteste Kapitell der Kirche, roh und ungelenk behandelt.

Man gelangt dann ins *Querschiff* und in das *frühgotische Chor*. Es ist schwierig ein Urteil zu fällen über dieses Werk, dessen weisser Anstrich mit der feinen Kolorierung des romanischen Schiffes ganz und gar nicht zusammenpasst. Aber zur Erbauungszeit haben Fenster und Fresken (man sieht noch Spuren davon an gewissen Pfeilern auf der Nordseite des Chorumganges) den Eindruck des Ortes wohl stark verändert.

Das hindert nicht, dass der Gegensatz um so eindrucksvoller ist. Wenn man sich in der Mitte des Schiffes unten an die Chorstufen stellt, Blick gegen das Schiff und dann plötzlich sich umdreht gegen das Chor, dann ermisst man die ganze Distanz, die das Romanische vom Gotischen trennen kann.

Man könnte die Krypta besuchen und den Arm des Kreuzganges mit der anschliessenden Kapitelskapelle, die Viollet-le-Duc wieder hergestellt hat.

Um den Rundgang durch das Gebäude zu vollenden, soll man nicht versäumen, das *südliche Seitenschiff* hinunterzugehen. Man findet, vom Querschiff an gerechnet, *am 3. Pfeiler :* den Kampf Jakobs mit dem Engel. *Am 4. Pfeiler :* Daniel in der Löwengrube; dann : St. Martin, einen heiligen Baum der Heiden umhauend. Gegenüber auf der *Südmauer :* die Musik und die Unzucht, ein Werk von ausserordentlicher Kraft, dessen Sinn genügend klar ist, um lange Kommentare unnötig zu machen. Endlich, *am 5. Pfeiler :* die vier Winde, eine schöne Arbeit.

Wenn man Zeit hat und einen Feldstecher, so wäre es von hohem Interesse die Runde der Kapitelle zu machen, die sich ganz zu oberst an den Pfeilern des Schiffes befinden, dort wo das Gewölbe beginnt. Man wird dort Szenen aus der Bibel finden : besonders bemerkenswert : Noah (3. *Pfeiler, südlich,* vom Narthex her gerechnet), Adam und Eva (4. *Pfeiler im Norden*) und Kain und Abel (5. *Pfeiler im Norden*).

Der Besuch Vézelays wird notwendigerweise mit einem *Rundgang über die Terrassen* mit ihrem herrlichen Panorama beendet.

Man kann diese Hochburg des Gebetes nicht verlassen ohne zu tiefst die grosse Lehre des Friedens und der Kraft zu fühlen die das mittlere Tympanon uns erteilt. Diese Glaubensschau ist eine von jenen, die man nicht vergisst und die, besser als jede Rede, genügt, um von der unvergleichlichen Grösse derer zu zeugen, die ihn erdacht und ausgeführt in dieser ersten Hälfte des grossen 12. Jahrhunderts.

Tafel der Abbildungen

CE VOLUME
PREMIER DE LA COLLECTION
″ la nuit des temps ″
EST FORMÉ
DE LA RÉUNION DES NUMÉROS
23 BIS UNIVERS DE TOURNUS
21-22 LUMIERES DE PARAY
24 SAULIEU, ÉGLISE MARTYRE
22 BIS INVENTAIRE D'AUTUN
12-13 TYMPAN DE VÉZELAY
DE LA REVUE ″ ZODIAQUE ″.
ON Y A AJOUTÉ QUELQUES CARTES
ET TEXTES NOUVEAUX.

ᕫ

LES PHOTOS
SONT DE R. G. PHÉLIPEAUX-ZODIAQUE,
A L'EXCEPTION DES PLANCHES 72, 73,
74, 82 ET 83 QUI SONT DE P. BELZEAUX-
ZODIAQUE ET ¦DES PLANCHES 46 A 49, 53,
55, 61, 62, 64, 66, 67 ET DES PLANCHES EN
COULEURS QUI SONT DE ZODIAQUE.
PLANS, CARTES
ONT ÉTÉ DESSINÉS PAR LILIANE PILETTE.
IMPRESSION
DU TEXTE, DES PLANCHES COULEURS
(CLICHÉS VICTOR-MICHEL) ET DE LA
JAQUETTE PAR LES PRESSES MONAS-
TIQUES, LA PIERRE-QUI-VIRE (YONNE) ET
L'IMPRIMERIE DARANTIÈRE A DIJON.
PLANCHES HÉLIOS PAR L'IMPRIMERIE
HUMBLOT A NANCY.
RELIURE
DE J. FAZAN, TROYES. MAQUETTE DE
L'ATELIER DU CŒUR-MEURTRY, ATELIER
MONASTIQUE DE L'ABBAYE SAINTE-MARIE
DE LA PIERRE-QUI-VIRE (YONNE).

CUM PERMISSU SUPERIORUM

Directeur-Gérant : José Surchamp

Dépôt légal : 798-3-61